톱텍 현대로보틱스 더존비즈온 현대무벡스 휴림로봇 신성이엔지

스마트팩토리 산업분야 취업가이드

저자 미래기술정보리서치

- 취업을 위해 꼭 알아야 하는 용어와 이슈
- 대표 기업 취업 성공방식
- 숲과 나무를 동시에 보는 산업분야 스터디

TOPTEC 현대로보틱스 DOUZONE

현대무벡스 HYULIM ROBOT SHINSUNG E&G

㈜ 비티타임즈

<제목 차례>

1. 스마트팩토리사업 관련 기업 소개

1. 스마트팩토리사업 관련 기업 소개

가. 톱텍

1) 기업 소개[1]

그림 2 톱텍 기업로고

톱텍은 1992년 설립되어 고객중심, 품질중심의 정신으로 2차전지, Smart Factory, 디스플레이/반도체 등 3대 축으로 사업포트폴리오를 재정비하고 고객이 인정하는 축적된 자동화 설비기술의 노하우를 바탕으로 최적의 생산 시스템을 제공하고 있다. 다가오는 새로운 산업에 대응하기 위하여 경쟁력 있는 기술의 상용화, 신규 사업 ITEM 발굴, 업계최고의 인재육성 등을 통한 지속성장을 위하여 노력을 기울이고 있다.

<SK·LG 배터리 장비 톱텍이 생산>[2]

글로벌 전기차 시장이 폭발적으로 성장하면서 2차전지(배터리) 제조사인 LG에너지솔루션과 SK온의 경쟁이 치열해지는 가운데 이들 배터리 제조사에 자동화 설비를 공급하는 업체들에도 이목이 쏠리고 있다. LG엔솔과 SK온은 복수의 업체로부터 생산 설비를 공급받고 있는데, 최근 코스닥 상장사인 톱텍과 디에스케이가 잇따라 대규모 수주 계약을 발표하며 주목받았다.

톱텍은 2022년 11월 29일 SK와 275억원 규모의 공급계약을 체결했다고 밝혔다. 이번 계약은 SK이노베이션의 자회사 SK온이 중국에서 운영하는 스마트팩토리 자동화 장비를 공급하는 것으로, 계약 금액은 톱텍 연 매출의 17%에 이르는 규모다. 지난 2022년 9월에는 SK온 헝가리 공장에 자동화 장비를 공급하는 계약을 체결했다.

자동화 장비(FA)를 전문으로 생산하는 이들 업체는 배터리 분야 사업을 빠르게 확장하고 있다. 톱텍과 디에스케이의 기존 주력 사업 분야는 디스플레이 생산 설비였다. 그런데 디스플레이 업황이 부진에 빠지자 배터리 분야에서 재기를 모색하고 있다.

---

1) 톱텍 홈페이지
2) "SK·LG '배터리 장비' 우리가 생산"… 톱텍·디에스케이 맞대결 / 조선비즈

특히 톱텍의 경우 과거 주요 고객은 삼성이었는데, 2018년 삼성디스플레이의 기술유출 논란으로 법정 소송에 휘말린 이후 핵심 사업 규모가 크게 위축됐다. 지난해 법원에서 무죄를 선고받았지만, 최대 고객사와의 소송 이후 새로운 먹거리를 발굴해야 하는 상황이 됐다.

톱텍은 배터리 모듈조립 라인은 물론 배터리 패키징, 물류 관련 장비에 대한 투자가 확대되는 상황을 감안해 관련 장비 기술에 대한 연구개발(R&D)을 강화하고 있다. 올해는 이동은 전 SK이노베이션 배터리 사업본부장을 사외이사로 영입하기도 했다.

이전부터 SK그룹과 긴밀한 관계를 유지해 온 톱텍이 SK온을 주 고객사로 새로운 사업을 육성하고 있는 셈이다. SK텔레콤은 지난 2018년 톱텍 인수를 추진했었다. 최종 계약은 무산됐지만, 당시 SK텔레콤은 톱텍의 창업자 이재환 회장의 지분을 인수하는 방안을 검토했었다. 이후 톱텍은 SK이노베이션의 미국 배터리 자회사 SK배터리아메리카 등에 자동화 장비를 공급해왔다.

2) 채용공고 소개[3)]

가) 하반기 신입, 경력사원 채용공고

모집분야	구분	지원자격 및 우대사항	근무지
기구설계	신입/경력	**학력/전공** • 학력무관 / 기계, 기계공학, 기계설계, 메카트로닉스 계열 전공 우대 **담당업무** • 기구설계 : 2차전지, 디스플레이, 반도체, Smart Factory 관련 자동화설비	충남 아산
기구제작	신입/경력	**학력/전공** • 학력 무관 / 기계, 기계공학, 기계제작, 메카트로닉스 계열 전공 우대 **담당업무** • 기구제작 및 SET-UP : 2차전지, 디스플레이, 반도체, Smart Factory 관련 자동화설비 제작 및 셋업	충남 아산 / 경북 구미

3) 잡코리아

전장제어	신입/경력	**학력/전공** • 학력무관 / 전기, 전자, 제어계측, 컴퓨터공학 계열 전공 우대 **담당업무** • 전장 업무 : 창고물류 스토커, RGV, 컨베이어, 디스플레이 모듈라인 공정장비 관련 전장업무 및 도면 설계(E-PLAN, AUTO CAD) 가능자	충남 아산 / 경북 구미
PLC제어	신입/경력	**학력/전공** • 학력무관/전기, 전자, 제어계측, 컴퓨터공학 계열 전공 우대 **담당업무** • PLC 제어 : 2차전지, 디스플레이, 반도체, Smart Factory 관련 자동화 설비 **우대사항** • PLC(MITSUBISH, 지멘스, AB, OMRON) 활용 가능자 • 창고물류 스토커, RGV, 컨베이어 프로그램 가능자 • 디스플레이 모듈라인 공정장비 프로그램 가능자 • FA 제어 유경험자 • 관련 자격증 보유자(생산자동화 기능사 및 기사 등)	충남 아산 / 경북 구미
VISION 제어	신입/경력	**학력/전공** • 학력무관 / 컴퓨터공학, 전자공학, 제어계측, 메카트로닉스 수학 계열 전공 우대 **담당업무** • VISION제어, H/W Set up : 2차전지, 디스플레이, 반도체, Smart Factory 관련 자동화 설비 **우대사항** • 개발 Laguage(Visual C#/C++등) 활용 가능자 • Cognex, Halcon 등 Vision Lib 활용 가능자 • 해외출장 및 해외 Vision Set up 유경험자 • AUTO CAD 활용 가능자 • 관련 자격증 보유자 (정보처리기사, 산업기사, MOS소지자 등)	충남 아산 / 경북 구미

PC제어	신입/경력	**학력/전공** • 학력 무관 / 소프트공학, 컴퓨터공학, 데이터베이스, 전자공학 계열 전공 우대 **담당업무** • PC 제어 : 2차전지, 디스플레이, 반도체, Smart Factory 관련 자동화설비	충남 아산 / 경북 구미
ROBOT 제어	신입/경력	**학력/전공** • 학력무관 / 메카트로닉스 공학, 전기 전자 공학 계열 전공 우대 **담당업무** • ROBOT 제어 : 2차전지, 디스플레이, 반도체, Smart Factory 관련 자동화설비 **우대사항** • C, C#, C++, API 통신 개발 유경험자 • 디스플레이, 반도체 물류셋업 경험자 • AGV 개발, AGV-RCS 설계 및 개발 경험자 • Web 기반 Software(JAVA외 다수) 활용 경험자 • 외국어(영어) 가능자	충남 아산 / 경북 구미
기술영업	신입/경력	**학력/전공** • 학력 무관 / 전공 무관 **담당업무** • FA SYSTEM 기술영업 (국내/외) • 고객사 요구 SPEC에 따른 견적, 납기 세부사양 제안 **우대사항** • 기계계열 전공자 또는 FA SYSTEM 설계 관련 유경험자 우대 • MS OFFICE 활용 능력 우수자 우대 • 외국어(영어) 가능자 : 의사소통 및 문서 작성 • 긍정적/진취적 성향의 활동적인 성격 보유자	충남 아산

총무	신입/경력	**학력/전공** • 학력 무관 / 전공 무관 **담당업무** • 총무, 인사지원 담당 : 안전, 보건, 위탁관리, 소방안전, 인사지원 (소방안전 1급 자격 보유자) • 총무, 기계설비유지관리 담당 : 고급 선임 가능자 등 (정 : 일반기계, 공조냉동기계, 설비보전, 에너지관리 기사 등 7년 이상) (부 : 배관, 공조냉동기계, 용접, 에너지관리 분야 산업기사 자격 보유자) **우대사항** • 소방안전관 또는 기계설비유지관리 관련 자격 보유자	경북 구미
전기안전 관리	신입/경력	**학력/전공** • 학력무관 / 공학계열 **담당업무** • 전기안전관리자 / 전기설비관리 / 건물 및 시설물 유지보수관리 **우대사항** • 전기기사 : 실무경력 2년이상 • 전기산업기사 : 실무경력 4년이상	경북 구미
공통사항		국가보훈대상자 및 장애인은 관련 법령에 의거하여 우대 • 군필자 또는 면제자로 해외여행에 결격사유가 없는 자	

3) 전형 절차

4) 취업 TIP[4)]

가) 채용현황

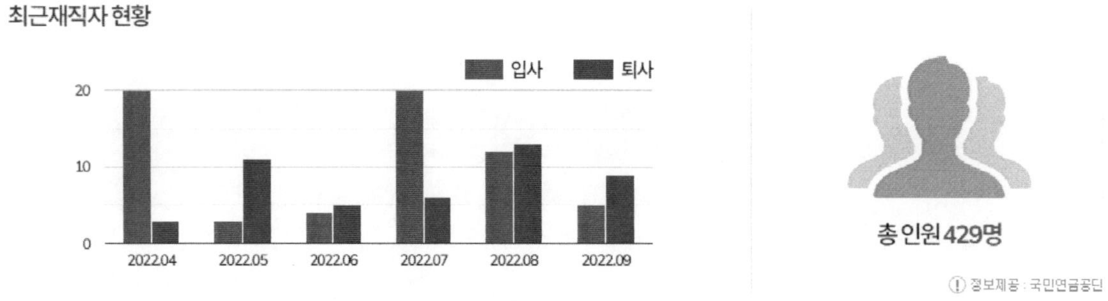

그림 4 최근재직자 현황

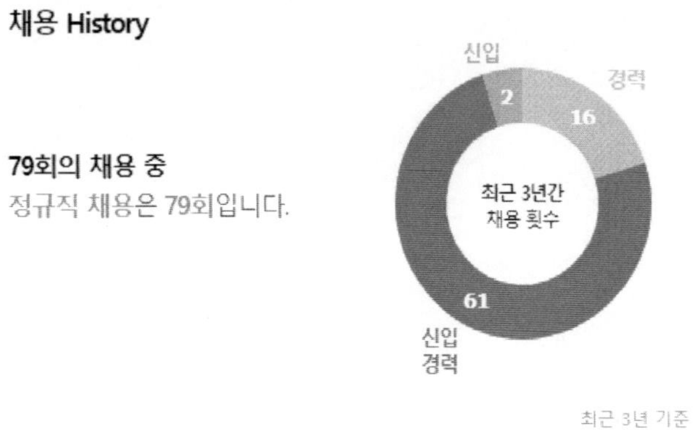

그림 5 채용 history

나) 참고 내용

주요서비스	FA, NANO, SOLAR
인재상	Eamest, Challenging, Passionate
비전	미래를 향한 톱텍
핵심가치	미래시장, INFRA, 경쟁력

4) 인크루트

나. 현대로보틱스

1) 기업 소개

그림 6 현대로보틱스 로고

현대로보틱스는 로봇 및 공장자동화, 엔지니어링, 설치/시운전, A/S의 전 분야에 대한 사업을 수행하고 있다. 특히 첨단 로봇을 활용한 스마트 공장 구축 사업과 식음료 배송 및 방역 등 모바일서비스 로봇 사업을 신규로 추진하여 토탈 로봇솔루션을 제공하고 있다.

1984년 로봇사업을 시작한 현대로보틱스는 1987년에 처음으로 산업용로봇을 생산한 이후로 국내외 자동차 제조 공장에 산업용로봇을 투입해왔다. 2007년에는 국내 최초 LCD디스플레이 운반로봇을 개발하여 글로벌 경쟁력을 갖추게 되었다. 2021년에 이르러서는 국내 최초의 산업용 로봇의 생산누계 6만여대를 넘어서는 신기원을 이룩하였다.

세계 안전규격 인증인 유럽 CE, 북미 NRTL, 러시아 Gost-R, Functional safty 인증, 방폭 인증 등을 획득하여 글로벌 로봇 사업에 대응하고 있다. 또한 중국, 유럽, 미국, 러시아, 인도, 브라질, 이란 등 각국으로 수출하고 지속적으로 기술을 개발하며 세계 일류의 로봇 종합기업으로 발돋움 하고 있다.

2) 채용공고 소개[5)]

가) 연구개발 상시채용(Fleet제어/관제)

주요업무	• 멀티 로봇 교통제어, 주행 관리 기술 개발 • 멀티 로봇 job 스케줄링 기술 개발

5) 잡코리아

자격요건	• 석사 이상, 경력 5년 이상 • 리눅스환경/프로그래밍(C++, Python) 활용 능력 보유 • ROS/ROS2 프로그램 개발 경력 우대 • 딥러닝 개발 경력 우대
근무지	분당

나) 연구개발 상시채용(양산개발(산업용로봇))

주요업무	• 산업용 로봇 기구 제어기 양산개발 및 인증관리/시험
자격요건	• 학사 이상, 경력 3년 이상 • 제어기 및 전장품 설계/양산 대응 능력 보유자
근무지	대구

다) 연구개발 상시채용(경로계획/모션생성(서비스로봇))

주요업무	• 모바일 로봇 최적 경로 계획, 제어기술 개발 • 정적/동적 장애물 충돌 회피 기술 개발
자격요건	• 석사 이상, 경력 5년 이상 • 리눅스환경/프로그래밍(C++, Python) 활용 능력 보유 • ROS/ROS2 프로그램 개발 경력 우대 • 딥러닝/강화학습 개발 경력 우대
근무지	분당

라) 연구개발 상시채용(SLAM(위치추정/맵생성)(서비스로봇))

주요업무	• 실시간 위치 추정 기술 개발 • LiDAR 기반 맵 생성/관리 기술 개발
자격요건	• 학사 이상, 경력 3년 이상 • 리눅스환경/프로그래밍(C++, Python) 활용 능력 보유 • ROS/ROS2 프로그램 개발 경력 우대 • 웹/모바일 기반 응용 프로그램 개발 경력 우대
근무지	분당

마) 연구개발 상시채용(임베디드 전장S/W(서비스로봇))

주요업무	• 모바일로봇 임베디드 시스템 S.W개발 • 임베디드 시스템 Firmware 개발 • 디바이스 드라이버 개발(CAN, Serial, Ethenet 등) • 소프트웨어 V&V (확인 및 검증, Unit test, test code generation, Static analysis, Dynamic analysis 등)
자격요건	• 학사 이상, 경력 5년 이상 • 임베디드 시스템 프로그래밍 경력(C/C++) • 국내외 규격 인증, 기능 안전 인정(PL d 이상) 경험 보유자 우대
근무지	분당

바) 연구개발 상시채용(기구개발(산업용로봇))

주요업무	• 산업용로봇 기구 메커니즘 설계
자격요건	• 학사 이상, 경력 3년 이상 • NX-CAD 사용자 우대
근무지	분당

사) 연구개발 상시채용(비전기술개발(산업용로봇))

주요업무	• 산업용로봇 분야 비전 기술 개발(검사, 빈피킹, 물류) • C++. C# 기반 응용 소프트웨어 개발
자격요건	• 석사 이상, 경력 3년 이상 • 산업용로봇 분야 비전시스템 적용 경험자 우대 • 비전 알고리즘 개발 유경험자 우대
근무지	분당

3) 전형절차

• 서류전형 → 1,2차 면접 → 건강검진 → 최종합격

4) 취업 TIP

가) 채용 현황[6)]

나) 참고 내용

인재상	**창조적 예지** : 고객과 사회의 요구에 부응하기 위해 항상 새로움을 추구하는 지혜 **적극의지** : 투철한 주인의식으로 매사에 능동적으로 도전하는 자세 강인한 추진력 : 강인한 정신과 불굴의 의지로 목표를 달성해 내는 힘
비전	**바다의 무한한 잠재력 실현** : 전동화, 자율화 기술 및 디지털 플랫폼을 기반으로 해양 모빌리티 및 친환경 에너지 산업을 선도하여 바다에서의 새로운 기회 개척 **지속 가능한 에너지 생태계 구현** : 차세대 청정에너지 기술 개발, 수소를 비롯한 미래 핵심에너지원의 가치 사슬 역량 확대와 첨단 복합소재 기술 혁신으로 글로벌 탈탄소 에너지 전환을 주도 **시공간적 한계를 초월하는 산업 솔루션 제공** : 인공지능 : 로보틱스 기술을 융합하여 산업 솔루션의 활용 범위를 획기적으로 확대함으로써 산업의 안전과 효율 향상에 기여
핵심가치	세상을 이끄는 혁신, 두려움 없는 도전, 서로에 대한 존중, 모두를 위한 안전

6) 인크루트

다. 더존비즈온

1) 기업소개[7]

그림 9 더존비즈온 로고

더존은 기업, 금융, 커머스, 헬스케어, 공공 분야 등에서 Work&Life 토털 솔루션을 제공하는 ICT그룹이다.

기업정보화 선도기업인 더존은 정보화에 필요한 각종 Solution과 Service를 제공하는 ICT기업으로 고객의 경쟁력 강화에 기여해 왔다. 더존은 회계프로그램 뿐만 아니라 ERP, IFRS솔루션, 그룹웨어, 정보보호, 전자세금계산서 등 기업 정보화 소프트웨어 분야에서 시장 점유율 1위이다.

ERP전문 ICT기업으로 시장을 개척한 더존은 AI, 클라우드, 데이터 등 최첨단 기술을 통해 기업의 디지털 대전환에 앞장서고, 기업의 탄생과 성장에 반드시 필요한 심장과 같은 역할을 수행하며 그 비전을 만들어 가고 있다. 2011년 더존ICT그룹 강촌캠퍼스를 신축, 본사를 이전하며 국내 소프트웨어 기업 최초로 자체 데이터센터인 'D-클라우드 센터'를 구축, 비즈니스 플랫폼, 모바일 오피스, 전자금융, 전자문서(공인전자문서센터) 등 클라우드(Cloud Computing)와 연계된 다양한 미래형 서비스 모델을 선보이고 있다.

7) 더존 홈페이지

2) 채용공고 소개[8)]

가) 정보보호 인프라운영

담당업무	- 보안장비(방화벽, IPS, WAF 등) 및 보안솔루션 (SIEM, APT 등) 운영/구축 - 보안 장비/솔루션 정책 기획 및 보안성 검토 - IT인프라 보안 아키텍쳐 설계 및 구축 - 보안이벤트 분석 및 조치 - 침해사고 대응 및 분석 - 보안취약점 점검 및 개선 활동
자격요건/우대사항	1. 신입은 정보보안 관련 학과 졸업 또는 교육 이수자 2. 경력은 보안관제 또는 보안장비 엔지니어 업무 경력 보유자 3. 교대근무 가능자 [우대사항] 4. 정보보안 관련 자격증 소지자 1. 회사 인근(춘천) 거주 또는 거주예정자 2. 긍정적인 마인드 소유자 3. 국가유공자, 보훈대상자, 관련자격증 소지자
근무지	강촌캠퍼스

나) 정보보호

담당업무	- 정보보호 인증심사 취득/유지 업무 수행 및 심사 대응 - 정보(개인정보)보호 관리체계 구축/운영 - 정보보호 거버넌스 및 방법론 수립 - 정보보호 컴플라이언스 요건 분석 - 정보보호 정책 및 지침 제/개정 - 정보보호 관련 법규 이행 및 감사 추진 - 정보보호 현황 및 위험 분석/평가 - 보안성 검토 및 기술적/관리적/물리적 보호조치 수립 - 개인정보 컴플라이언스 대응 및 이행 - 개인정보 흐름분석 및 영향평가
자격요건/우대사항	1. 정보보호 업무 10년 이상 경력자 2. 정보(개인정보)보호 관리체계 구축 업무 수행 경험자 3. 정보보안 위험식별 및 영향 평가를 통해 대응 정책과 절차 수립 가능자 4. 금융감독원과 금융보안원의 전자금융서비스 정보보호 컴플라이언

8) 잡코리아

	스 감사/감독 대응 및 사업자 인증 취득 업무 경험자 5. 정보보호 인증(ISMS, ISO27001, CSAP 등) 취득 업무 또는 컨설팅 경험자 6. 개인정보보호 영향평가 및 기술적/관리적 보호조치 수립 가능자 [우대사항] 1. 조직간 원활한 커뮤니케이션 능력 보유자 2. 기획/분석 및 문서 작성 역량 보유자 3. 긍정적인 마인드 소유자 4. 국가유공자, 보훈대상자, 관련자격증 소지자
근무지	강촌캠퍼스

3) 채용절차

- 서류전형 → 1차 실무자면접 → 2차 임원면접 → 처우협의/채용검진 → 최종합격

※제출서류
- 입사지원서(사진 부착 필수) 및 자기소개서 : 회사양식 사용 필수
- 경력기술서 : 경력직에 한하여 상세하게 작성 : 회사양식 사용 필수

4) 취업 TIP[9)]

가) 채용현황

신입/경력 채용현황

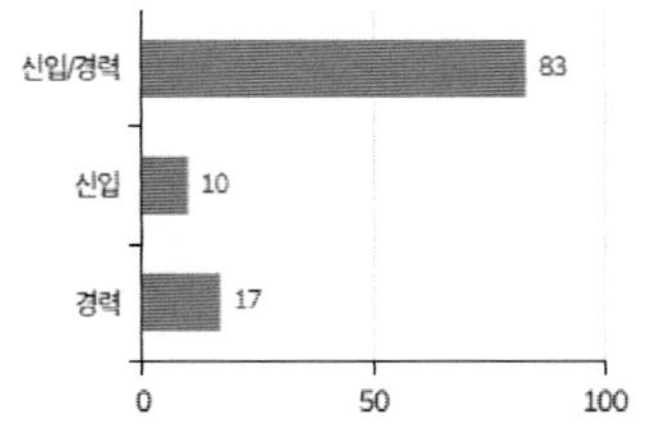

고용형태

주요 모집 직종

ERP컨설팅	61
컨설팅	47
분석·설계	43
사업기획	39
JAVA	38

최근재직자 현황

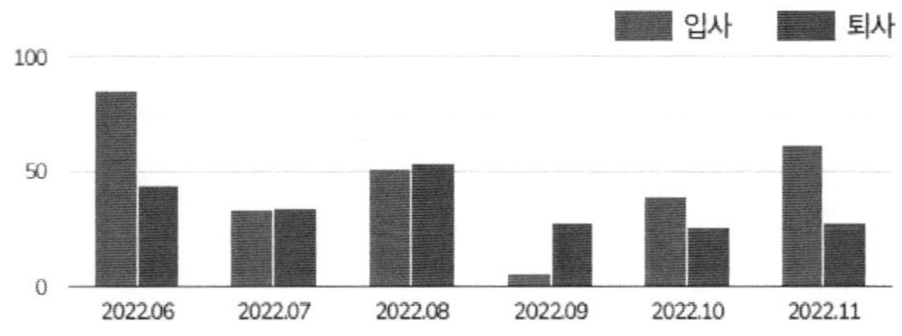

총 인원 1,691명

정보제공 : 국민연금공단

9) 인크루트

나) 참고 내용

주요서비스	회계프로그램 / ERP / 클라우드 / 그룹웨어 / 정보보안 / 전자세금계산서 / 전자금융서비스 / 모바일 / 전자팩스 / 교육서비스 / 개인사업자용 사업관리 서비스 / QR코드 / 원격지원 서비스
인재상	도전&열정 / 소통&화합 / 책임&신뢰
비전	대한민국 대표 ICT 기업
미션	기업을 위한 모든 ICT Solution과 Service 제공
핵심가치	조화 / 화합 / 협력 / 성장

라. 현대무벡스

1) 기업 소개

HYUNDAI MOVEX

현대 무벡스는 종합 물류 전문 기업으로서 물류자동화 시스템의 컨설팅, 설계 제작 및 설치 유지보수까지 다양한 산업분야의 시스템 구축 사례와 시공경험을 바탕으로 고객을 위한 최적의 Total Engineering Solution을 제공한다.

물류자동화사업부문에서 크게 물류자동화시스템과 지하철스크린도어(PSD) 두가지 사업분야로 나누어 진다. 제조업이지만 사업 아이템자체는 4차산업에 속해있다고 볼 수 있다. 세계의 물류 자동화 시장 규모는 2019년 415억 달러에서 2027년까지 917억 달러로 확대될 것으로 예상되는 상황에서 지속적인 성장이 기대되는 사업부문이다.

<현대무벡스, '3천만弗 수출의탑' 수상…스마트물류시장 공략 강화>

현대그룹 산하 물류자동화 기업 현대무벡스가 제59회 무역의 날 행사에서 '3000만 달러(약 389억원) 수출의 탑'을 수상했다.

현대무벡스 수출실적은 2019년 760만 달러에서 2021년 4200만 달러로 5.5배 늘었다. 중국과 동남아시아 등에 7개 해외법인과 지사를 두고, 글로벌 스마트물류 시장을 적극 공략하고 있다.

현대무벡스는 지금까지 기술 우위를 바탕으로 타이어 공정자동화, 저온물류센터 등을 아시아 신흥시장에 판매하는데 주력했으나, 앞으로 미주와 유럽 선진시장을 겨냥한 이차전지 장비 등으로 확대할 계획이다.

현대무벡스 관계자는 "불안정한 산업 환경 속에서 국가 수출에 조금이나마 일조해 기쁘게 생각한다"며 "글로벌 확장전략에 총력을 기울이고 있는 만큼, 수년 내 1억 달러 탑을 쌓기 위해 나아갈 것"이라고 밝혔다.

2) 채용공고 소개[10)]

가) 경력사원 상시채용 (클라우드 보안)

지원자격	• 정보보호시스템 운영/관리(보안솔루션 운영, 정보보호 인증심사 등)
근무지	서울
상세 내용	• 학력 무관 • 수습기간 6개월 적용(수습급여 미적용)
제출서류(최종면접 해당자에 한함)	• 최종 학력 졸업증명서 및 성적증명서 각 1부(대학원 졸업자는 학부 포함 제출) • 기타 국가공인 자격증 사본 및 어학(TOEIC 등) 성적표 사본 각 1부 • 전 근무지 경력증명서 및 직전 근무지 원천징수영수증 각 1부(경력에 한함) • 취업보호증명서 1부(해당자에 한함)
전형절차	• 정규직 - 서류전형 → 인적성검사 → 1차면접 → 2차면접 → 채용검진 → 최종합격 • 서류 접수순 검토로 인한 전형결과 및 일정 개별 안내(직무별 조기마감 가능성 有) • 직무에 따라 코딩테스트 등 추가 실시 가능 • 고지방법 : 전자우편, 전화, 휴대전화에 의한 문자전송 등

10) 잡코리아

나) 경력사원 상시채용(공사관리)

지원자격	• 물류센터 유경험자 우대(건축, 자동화설비) • 기사 자격증 소지자 우대(건축, 안전 외)
근무지	프로젝트 현장
상세 내용	• 학력 무관 • 프로젝트별 계약기간 상이 • 프로젝트 종료 후 협의를 통해 새로운 프로젝트 참여 및 계약 연장 가능
제출서류(최종면접 해당자에 한함)	• 최종 학력 졸업증명서 및 성적증명서 각 1부(대학원 졸업자는 학부 포함 제출) • 기타 국가공인 자격증 사본 및 어학(TOEIC 등) 성적표 사본 각 1부 • 전 근무지 경력증명서 및 직전 근무지 원천징수영수증 각 1부(경력에 한함) • 취업보호증명서 1부(해당자에 한함)
전형절차	• 계약직 - 서류전형 → 인성검사 → 직무면접 → 채용검진 → 최종합격 • 서류 접수순 검토로 인한 전형결과 및 일정 개별 안내(직무별 조기 마감 가능성 有) • 직무에 따라 코딩테스트 등 추가 실시 가능 • 고지방법 : 전자우편, 전화, 휴대전화에 의한 문자전송 등

다) 경력사원 상시채용(클라우드 IoT)

지원자격	• Java, Net 개발 경험, 그에 준하는 기술 경험 5년 이상 • C#, Net, JAVA, Python 등을 활용한 어플리케이션 개발 경험 • AWS/NCP 등 Public Cloud 서비스 경험
근무지	서울
상세 내용	• 학력 무관 • 수습기간 6개월 적용(수습급여 미적용)
제출서류(최종면접 해당자에 한함)	• 최종 학력 졸업증명서 및 성적증명서 각 1부(대학원 졸업자는 학부 포함 제출) • 기타 국가공인 자격증 사본 및 어학(TOEIC 등) 성적표 사본 각 1부 • 전 근무지 경력증명서 및 직전 근무지 원천징수영수증 각 1부(경력에 한함) • 취업보호증명서 1부(해당자에 한함)

전형절차	• 정규직 - 서류전형 → 인적성검사 → 1차면접 → 2차면접 → 채용검진 → 최종합격 • 서류 접수순 검토로 인한 전형결과 및 일정 개별 안내(직무별 조기 마감 가능성 有) • 직무에 따라 코딩테스트 등 추가 실시 가능 • 고지방법 : 전자우편, 전화, 휴대전화에 의한 문자전송 등

라) 경력사원 상시채용(로봇 물류장비 개발)

지원자격	• 다개체 로봇 통합 제어 및 관제 SW 개발 경험(ACS, VCS) • 물류 장비 운영 S/W 개발 경험 • C#, WPF, GUI 개발 또는 Web UI(서버 구축 포함) 개발 경험 • S/W 플랫폼 기획 및 표준화 경험
근무지	인천 청라
상세 내용	• 학력 무관 • 수습기간 6개월 적용(수습급여 미적용)
제출서류(최종면접 해당자에 한함)	• 최종 학력 졸업증명서 및 성적증명서 각 1부(대학원 졸업자는 학부 포함 제출) • 기타 국가공인 자격증 사본 및 어학(TOEIC 등) 성적표 사본 각 1부 • 전 근무지 경력증명서 및 직전 근무지 원천징수영수증 각 1부(경력에 한함) • 취업보호증명서 1부(해당자에 한함)
전형절차	• 정규직 - 서류전형 → 인적성검사 → 1차면접 → 2차면접 → 채용검진 → 최종합격 • 서류 접수순 검토로 인한 전형결과 및 일정 개별 안내(직무별 조기 마감 가능성 有) • 직무에 따라 코딩테스트 등 추가 실시 가능 • 고지방법 : 전자우편, 전화, 휴대전화에 의한 문자전송 등

마) 경력사원 상시채용(기구개발)

지원자격	• 기계/메카트로닉스 공학 계열 학사 이상 학력 • EK관절 로봇(6축), AGV, 무인지게차, 물류자동화 장비(ASRS, RGV, EMS) 등 기구설계 경험 4년 이상 • AUTOCAD, SOLID EDGE(기타 3D CAD 툴) 상급 사용 능력 • 일반기계기사, 기계설계기사 우대 • 기계공학 석/박사 학위 우대 • ANSYS 구조해석 중급 이상 사용 능력 우대
근무지	인천 청라
상세 내용	• 수습기간 6개월 적용(수습급여 미적용)
제출서류(최종면접 해당자에 한함)	• 최종 학력 졸업증명서 및 성적증명서 각 1부(대학원 졸업자는 학부 포함 제출) • 기타 국가공인 자격증 사본 및 어학(TOEIC 등) 성적표 사본 각 1부 • 전 근무지 경력증명서 및 직전 근무지 원천징수영수증 각 1부(경력에 한함) • 취업보호증명서 1부(해당자에 한함)
전형절차	• 정규직 - 서류전형 → 인적성검사 → 1차면접 → 2차면접 → 채용검진 → 최종합격 • 서류 접수순 검토로 인한 전형결과 및 일정 개별 안내(직무별 조기 마감 가능성 有) • 직무에 따라 코딩테스트 등 추가 실시 가능 • 고지방법 : 전자우편, 전화, 휴대전화에 의한 문자전송 등

바) 경력사원 상시채용(2차전지 공정물류 자동화 장비개발)

지원자격	• 소재공정 : RHK, Coater 등 장비 개발 경험 • 극판공정 : Coater, Roll Press, Siltter 등 장비개발 경험 • 셀조립공정 : Notching, Stacking 등 장비개발 경험 • 화성공정 : Precharger, 충방전, 고온가압 지그, NG Sorter 등 장비개발 경험 • 모듈팩 공정 : Wire Bonder, 레이저용접기, 검사기 등 장비개발 경험
근무지	인천 청라
상세 내용	• 수습기간 6개월 적용(수습급여 미적용) • 학력 무관

제출서류(최종면접 해당자에 한함)	• 최종 학력 졸업증명서 및 성적증명서 각 1부(대학원 졸업자는 학부 포함 제출) • 기타 국가공인 자격증 사본 및 어학(TOEIC 등) 성적표 사본 각 1부 • 전 근무지 경력증명서 및 직전 근무지 원천징수영수증 각 1부(경력에 한함) • 취업보호증명서 1부(해당자에 한함)
전형절차	• 정규직 - 서류전형 → 인적성검사 → 1차면접 → 2차면접 → 채용검진 → 최종합격 • 서류 접수순 검토로 인한 전형결과 및 일정 개별 안내(직무별 조기 마감 가능성 有) • 직무에 따라 코딩테스트 등 추가 실시 가능 • 고지방법 : 전자우편, 전화, 휴대전화에 의한 문자전송 등

사) 경력사원 상시채용(2차전지 공정물류 자동화 공정설계)

지원자격	• 2차전지 전/후 공정 턴키 컨설팅 설계 경험 • 각형/원통형/파우치형 셀조립공정 컨설팅, 설계 경험 • 각형/원통형/파우치형 화성공정 컨설팅, 설계 경험
근무지	서울
상세 내용	• 수습기간 6개월 적용(수습급여 미적용) • 학력 무관
제출서류(최종면접 해당자에 한함)	• 최종 학력 졸업증명서 및 성적증명서 각 1부(대학원 졸업자는 학부 포함 제출) • 기타 국가공인 자격증 사본 및 어학(TOEIC 등) 성적표 사본 각 1부 • 전 근무지 경력증명서 및 직전 근무지 원천징수영수증 각 1부(경력에 한함) • 취업보호증명서 1부(해당자에 한함)
전형절차	• 정규직 - 서류전형 → 인적성검사 → 1차면접 → 2차면접 → 채용검진 → 최종합격 • 서류 접수순 검토로 인한 전형결과 및 일정 개별 안내(직무별 조기 마감 가능성 有) • 직무에 따라 코딩테스트 등 추가 실시 가능 • 고지방법 : 전자우편, 전화, 휴대전화에 의한 문자전송 등

3) 취업 TIP

가) 채용현황

신입/경력 채용현황

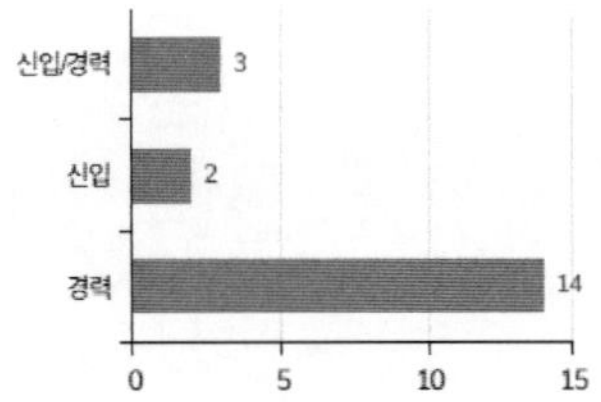

고용형태

주요 모집 직종

기계설계	5
물류관리	5
클라우드	5
산업기계	3
분석설계	3

나) 직무소개[11)]

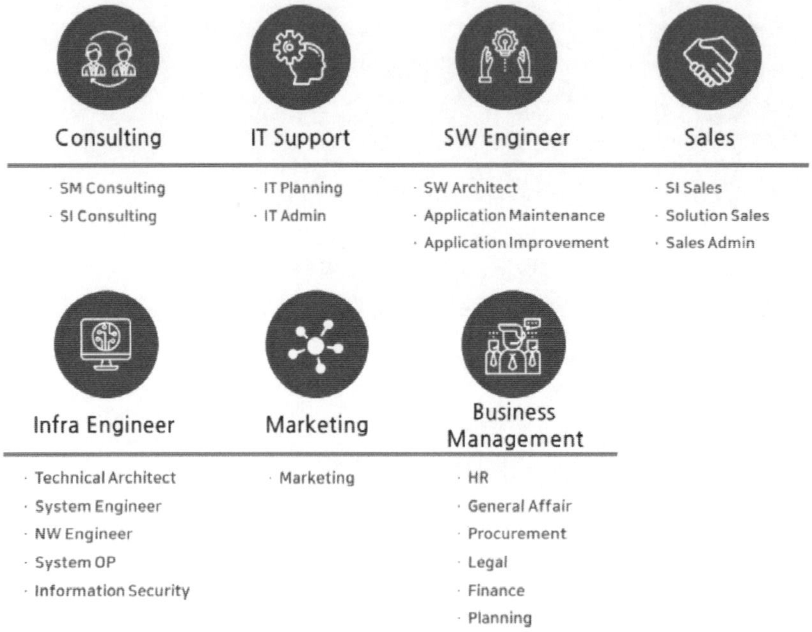

다) 참고내용

주요서비스	IT / 자동물류화
인재상	생각하고 행동하는 인재 / 부지런하고 곧은 성품의 인재 / 따뜻한 마음을 지닌 인재
비전	변화와 혁신의 Enabler
미션	IT 서비스 그 이상의 가치를 제공합니다./ 고객을 위한 최적의 Total Engineering Solution을 제공합니다.
핵심가치	passion / innovation / communication

11) 인크루트

마. 휴림로봇

1) 기업소개

그림 16 휴림로봇 로고

휴림로봇은 1999년에 설립한 산업용 로봇 및 자동화 장비 개발, 생산, 판매, 서비스를 하는 코스닥 상장사이다. 구 LG산전 로봇 사업부에서 근무하던 강석희 전대표가 IMF 시기, 창업하고 사업일체를 인수하였다. 사업장으로는 구로사업장을 시작으로 안양 호계동에서 현재의 안산 사사동으로 이전하였다. 현재는 수원산업단지에 2공장이 있으며 안산테콤단지내 3공장이 있다. 2011년 코스닥에 상장하였으며 2017년 중소로봇업체 최초로 연 매출 1,000억을 돌파하였다. 2020년 HOPE 2020 비전 선포와 함께 2020년까지 매출 2,000억을 목표로 하고 있으며, 현재는 LG전자가 최대 주주로서 다시 LG그룹의 품에 안기었다.

2) 채용공고 소개[12]

가) 휴림로봇 설계팀 프리랜서 채용공고

담당업무	• 도면 표준화 작업
자격요건	• 2D AUTOCAD, 3D SOLIDWORKS 사용가능자 • 제품에 대한 이해도가 있는 자(DRM, DRMC, DRMC - BELT) • 설계 경력자 • 근무기간 : 채용시부터 6개월
우대사항	• 관련 경력자(산업용 로봇 설계, 반도체 디스플레이 자동화 장비 설계 등) • 국가 유공자 • 고용촉진지원금 대상자 • 취업보호대상자 • 보훈대상자 • 관련 학과 전공자(기계공학/메카트로닉스/로봇공학 등)
전형절차	• 서류전형 → 1차면접 → 2차면접 → 임원면접 → 최종합격

12) 잡코리아

나) 품질관리팀 신입/경력사원 채용

담당업무	• QC/QA 업무 • 고객 품질 대응
자격요건	• 학력 : 초대졸이상 • 경력 : 신입 또는 경력 7년 이하(사원 ~ 대리급)
우대사항	• 인근거주자 • 프리젠테이션 능력우수자 • 엑셀 고급능력 보유자 • 문서작성 우수자 • 관련 자격증 보유자 • 유관업무 경력자 • 관련 학과 전공자(기계/메카트로닉스/로봇/산업/전기전자 공학 등)
전형절차	• 서류전형 → 1차면접 → 최종합격

다) 제조팀 채용공고

담당업무	• 정밀스테이지, 진공로봇 제조 • Stage, TR, ReverseUnit 조립 및 Setup
자격요건	• 학력 : 학력무관 • 경력 : 신입,경력 • 운전면허 소지자 • 기타 해외출장에 결격사유가 없는 자
우대사항	• 3톤 미만 지게차, 건설기계조종사 면허증 보유자
전형절차	• 서류전형 → 1차면접 → 2차면접 → 임원면접 → 최종합격

3) 취업 TIP

가) 채용현황

바. 신성이앤지

1) 기업 소개

그림 18 신성이앤지 로고

지난 40년간 고효율 청정 시스템, 최적 에너지 공조 시스템, 플랜트 엔지니어링 및 정밀 시공시스템 분야에서 비약적인 발전을 거듭하며, 반도체, FPD, 화학, 나노, 2차 전지, ESS, 바이오 등 국내외 청정산업과 국가육성산업 등 다양한 산업에 최적화된 System Technology Solution을 제공하고 있다. 또한 고효율 청정 시스템, 최저 에너지 공조 시스템, 플랜트 엔지니어링 및 정밀 시공시스템을 구현하여 시스템 기획 단계에서부터 설계, 생산, 시공, TAB, 사후관리에 이르는 최적의 생산환경을 제공한다. [13]

<신성이엔지·삼성SDS·KT, 5G 스마트팩토리 '한손'> [14]

대한민국 대표 스마트팩토리 신성이엔지, 기술과 비즈니스를 융합해 새로운 미래를 만드는 삼성SDS, 첨단 IoT기술과 ICT융합의 기술을 제공하는 KT가 5G 시대의 스마트팩토리를 위해 만났다. 이들은 IIoT를 통해 스마트팩토리의 장비와 기계 등을 연결해 보다 빠르고 안전하게 공장을 제어하며 운영할 수 있는 솔루션을 개발하기로 했다.

업무협약을 체결한 신성이엔지의 스마트팩토리는 지난 2017년 산업통상자원부에서 선정한 대표 스마트팩토리로 초기 목표인 '클린에너지 기반의 스마트팩토리 고도화 운영 시스템 개발'을 성공적으로 마치고 현재는 로봇과 사람이 한 공간에서 같이 일하는 협업로봇, 작업자의 피로도를 측정하고 재해를 예방하는 디지털트윈 기반의 CPS 등 다양한 신기술을 품고 있다.

또한 일반적인 공장처럼 제품을 생산해 수익을 올리기도 하지만 옥상과 유휴공간에 설치된 태양광과 ESS(Energy Storage System: 에너지저장장치)를 통해 자체 전력의 40%를 충당하고 연간 1억원 이상의 수익을 올리고 있는 곳이다.

이번 제휴로 신성이엔지는 KT 및 삼성SDS와 협업을 통해 최신의 정보통신기술이 적

---

13) 신성이엔지 홈페이지
14) 신성이엔지·삼성SDS·KT, 5G 스마트팩토리 '한손' / 투데이에너지

용된 스마트팩토리용 제품을 공급할 계획이다. 향후 출시될 제품들은 KT의 5G 통신 및 삼성SDS의 Brightics IoT 플랫폼이 연계돼 사용자가 공장 내 수천개의 제품을 하나로 연결해 보다 쉽게 데이터를 관리하고 분석할 수 있게 만들 계획이다.

2) 채용공고 소개

가) 용인사업장 인재채용(장비조립/출고관리)

모집부문	담당업무	자격요건
제품조립	• 공조, 환경장비 조립 및 검사 • 생산설비 운영 및 Trouble Shooting	**자격요건** • 학력 : 고졸이상 • 경력 : 경력무관 **우대사항** • 인근거주자 • 차량소지자 • 유관업무 경력자
제품출고관리	• 물류관련 제반업무 (고객납품, 내부물류 등) • 지게차 운전	**자격요건** • 학력 : 고졸이상 • 경력 : 경력무관 **우대사항** • 인근거주자 • 차량소지자 • 유관업무 경력자

3) 전형절차

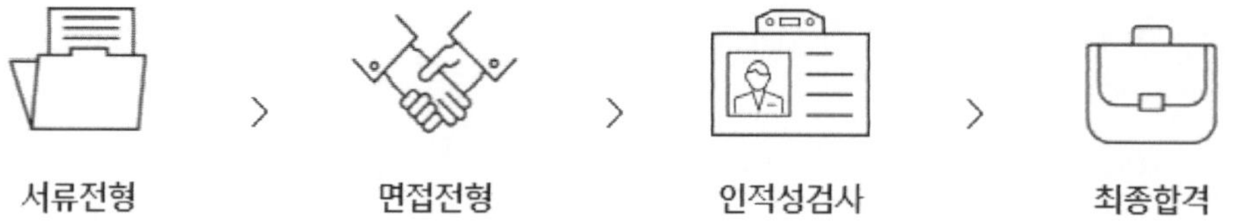

※ 면접일정은 추후 통보됩니다.

4) 취업 TIP

가) 채용현황

채용 History

26회의 채용 중
정규직 채용은 26회입니다.

최근 3년 기준

사원수

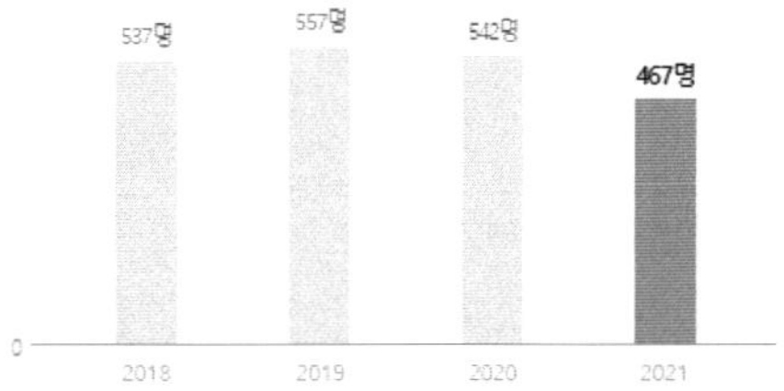

최근 4년 기준

2. 스마트팩토리 관련 기본 개념들

2. 스마트팩토리 관련 기본 개념들

가. 스마트팩토리란?[15]

스마트팩토리(Smart Factory)란, 제품의 기획, 설계, 생산, 유통, 판매 등 전 과정을 IT 기술로 통합하여 최소 비용 및 시간으로 고객 맞춤형 제품을 생산하는 공장을 의미한다.

과거에는 하나의 공장에서 대량생산을 위해 공장자동화(Factory Automation)를 구축하였지만, 스마트팩토리는 모든 공장을 하나의 공장이 움직이는 것과 같이 상호 연동되어 움직이며, 4차 산업혁명[16]이라고 불리고 있다.

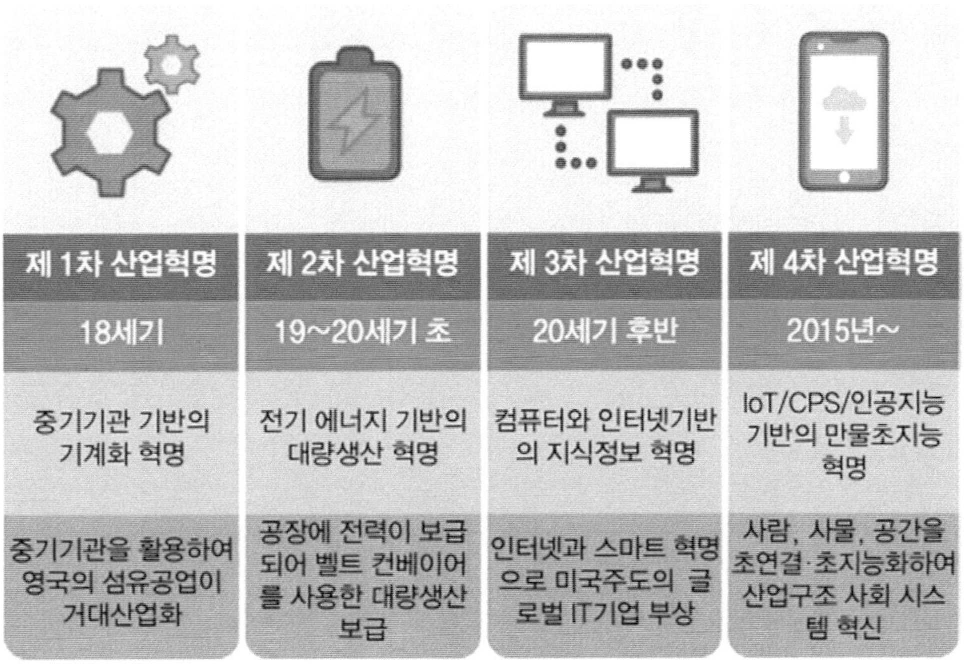

[17]

[그림 22] 기술변화에 따른 산업혁명의 단계

스마트팩토리가 구현되면 각 공장에서 수집된 수많은 데이터를 기반으로 분석과 의사결정을 수행하는 '데이터 기반의 공장 운영(Data Driven Operation)체계'를 갖춤으로써 생산현장에서 발생하는 현상, 문제들의 상관관계를 얻어낼 수 있으며 원인을 알 수 없었던 돌발 장애·품질 불량 등 의 원인을 알아내고 해결할 수 있게 될 것으로 전망된다.

뿐만 아니라 숙련공들의 경험 즉, 노하우를 활용하여 누구나 쉽게 활용할 수도 있고, 현장에서 발생하는 돌발 상황들이 모니터링 되어 비숙련자도 대응할 수 있도록 가이드를 해줄 수 있게 될 것으로 예상된다.

---

15) 스마트팩토리 중소,중견기업 기술로드맵 2017-2019, 중소기업청
16) 4차 산업혁명은 독일 제조업이 직면한 사회, 기술, 경제, 생태, 정치 부문의 변화에 ICT를 접목해 대응하겠다는 전략으로, 사물인터넷과 기업용 소프트웨어, 보안, 클라우드, 빅데이터, 가상현실 등 ICT 관련 기술들을 적극 활용하는 스마트팩토리를 목표로 하고 있다.
17) 출처: 정보통신기술진흥센터

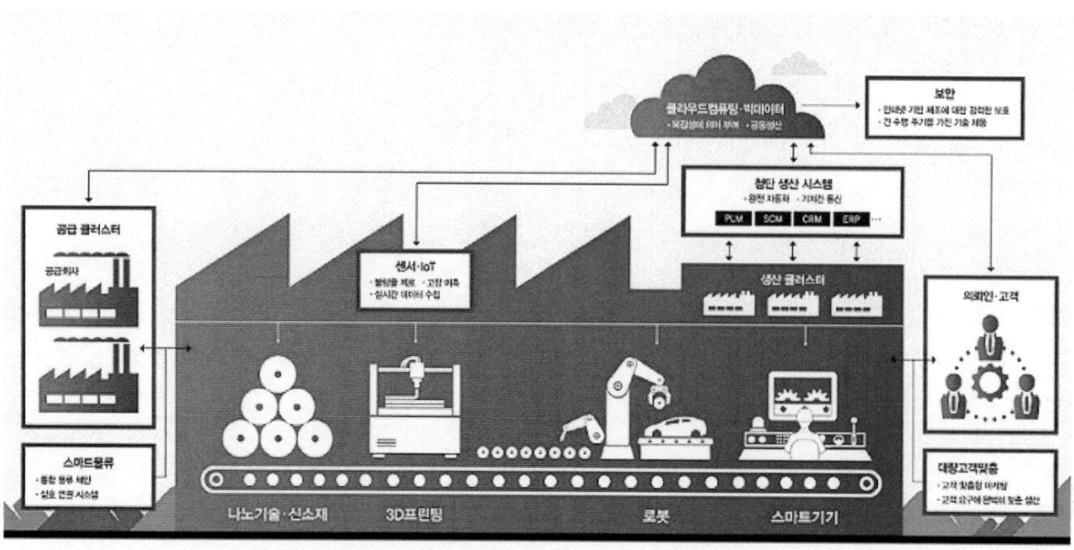

[18]

[그림 23] 스마트팩토리 구성

스마트팩토리는 전통 제조 산업에 ICT를 결합하여 개별공장의 설비와 공정이 지능화되어 서로 연결되고, 모든 생산정보의 지식이 실시간으로 공유, 활용되어 최적화된 생산운영이 가능한 공장인 동시에 이러한 개념의 확장을 통해 상·하위 공장들과 연결되어 협업적 운영이 지속될 수 있는 생산체계를 갖춘 공장이다.

스마트 팩토리에서는 사이버 물리 제조시스템들을 통해 지능화된 스마트 요소들이 자율적으로 최적화된 생산에 필요한 활동들을 수행해 나아갈 것으로 전망된다. 특히, 지능형 기계, 시설, 창고, 물류 시스템들이 독자적으로 정보들을 보유하고 교환할 수 있기 때문에 이를 통해 상호 교류하며 스스로 주변 환경에 적응시켜 자율적으로 제어한다. 공장을 이루는 모든 장치, 운송수단, 운송도로, 생산설비, 물류 및 관리 프로세스 등의 모든 요소는 사이버물리제조시스템이 될 수 있다. 즉, 필요하다면 전세계적으로 가용한 데이터와 서비스들을 글로벌 네트워크를 통해 사용할 수 있다는 것이다.

또한, 스마트 팩토리에서는 주문이 고객으로부터 직접적으로 기계로 전달되고 이어서 부품공급자까지 실시간으로 전달될 수 있어 신속하게 고객의 특별한 요구에 빠르게 반응할 수 있다.

---

18) 출처: 생산성 높이고 불량 잡는 스마트팩토리, 테크M, 2016.05.28

나. 스마트 팩토리 특징[19)]

스마트 팩토리는 기존의 공장에 대비해볼때 다음과 같은 특징들을 가지고 있다. 이러한 특징들은 스마트 팩토리로의 전환 혹은 신규 도입을 고려할 때 현재 수준에 대한 점검과 구현 목표 설정을 위해 참고해야 할 방향성을 제시한다.

① 자율화

스마트 팩토리를 통해 제조기업의 공장은 극도의 자율 조직화와 자율 최적화 특성을 갖게 된다. 자율성은 생산현장의 변화나 고객의 요구가 변동하더라도 생산 시스템이 스스로 적응하기 때문에 재조정 혹은 구조 변경에 소요되는 시간과 비용을 최소화하게 된다.

자율화를 수행할 수 있으려면 스마트 팩토리를 이루는 개발 사이버물리시스템들에 포함된 의사결정 시스템이 각각의 역할에 필요한 만큼의 최소한의 지능을 갖추어야 할 것이다.

② 분권화

자율화는 필연적으로 분권화를 동반한다. 스마트 팩토리의 자율적인 구성요소들은 중앙집중서버로부터의 정해진 실행 명령을 절대적으로 수행하는 것을 거부한다. 따라서, 제조 현장의 부분 시스템에서 발생하는 이벤트들에 대한 최적의 대응 방안은 해당 부분을 담당하는 자율적인 사이버물리시스템이 결정한다.

③ 디지털화

스마트 팩토리를 구성하는 가장 중요한 요소인 사이버물리시스템은 가상의 시스템이 물리적 시스템을 완전하게 표현할 수 있는 수준에 근접한 모델과 데이터를 가질 때 성립된다. 가상의 시스템은 오늘날 디지털화된 정보만을 처리할 수 있는 컴퓨터에 의해 구성되고 있으므로 사이버물리시스템의 확대는 필연적으로 광범위한 디지털화를 통해서만 가능하다.

④ 네트워크화

사물인터넷의 구현을 통해 사람과 기계와 자재와 제품은 모두 네트워크로 연결된다. 관리자 혹은 관련자는 필요할 때는 언제든지 특정한 제공품이 어떤 장비에 머물고 있는지 알수 있다. 이러한 정보는 심지어 고객에게도 제공될 수 있다.

이와 반대로 기계나 자재가 스스로의 상태에 이상이 발생했을 때 관리자에게 알림을 알릴 수 있다. 공장 내 연결된 통신 포인트의 숫자는 한 공장의 스마트화 수준을 가늠할 수 있는 중요한 지표가 될 것이다.

---

19) 스마트 팩토리란 무엇인가, https://steemkr.com/steempress/@k933167h/-s3cu1ci5pv

⑤ 모듈화와 표준화

지능형 기계, 제품, 주변장치들은 모두 모듈화돼 환경 변화에 맞춰 유연한 조합이 가능하도록 변화될 것이다. 오늘날 고객의 기호와 같은 시장 환경과 협력사의 공급망과 같은 비즈니스 환경이 동적으로 변화하고 있다. 이러한 가운데 제조의 경쟁력을 유지하기 위해서는 시스템 내부의 모든 요소가 적은 비용으로 신속하게 변경될 수 있어야 한다.

모듈화는 필연적으로 표준화를 수반한다. 하나의 모듈을 다른 제품의 제조에도 사용할 수 있도록 하기 위해서 모듈 간의 연결 혹은 인터페이스가 표준화돼야 한다.

⑥ 수평 수직 협업

사이버물리제조시스템들은 공장 및 기업내의 여러가지 비즈니스 프로세스들과 수직적으로 연결되고 분산된 다른 사이버물리제조시스템들과 수평적으로 연결된다. 이것은 수직적인 커뮤니케이션이 더욱 강조되는 기존의 운용 방식과는 매우 다르다. 이벤트가 발생하면 상위 서버에 알리고 조치를 기다리기보다는 주변의 기계와 장치에 자신의 상태를 알리고 필요한 도움을 스스로 받도록 하는 것이 우선시될 것이다

⑦ 전사적으로 일관된 엔지니어링

주문에서 납품까지 그리고 그 이후 고객의 사용 정보까지 통합돼 디지털 데이터로 관리됨으로써 전체 가지창출 사슬을 관통해 일관되게 적용되는 엔지니어링을 가능하게 한다. 설계에 의해 생성된 3D 형상 데이터에 컴퓨터 이용 공학 CAE 구조해석의 결과가 더해지고 다시 제조를 위한 데이터가 추가된다.

공정 단위의 가공과 조립 데이터, 중간 조립품의 시험 데이터, 사용자의 서비스 데이터까지 모두 한꺼번에 통합 관리 될 수 있다. 극단적으로 발전되면 고객의 서비스 데이터에 대한 분석으로부터 자동적으로 설계 대안들이 검토될 수도 있다. 이러한 디지털 데이터 기반의 일관된 엔지니어링은 전사적인 데이터 기반 의사결정을 가속한다.

⑧ 고객중심 제조

기존의 제조 시스템에서는 품질, 원가, 납기 등에 주요 초점이 맞춰져 있었다. 따라서 고객에게 추가적인 만족을 줄 수 있는 성능이나 기능 등이 도입되는 데 장애물이 됐다. 개인 맞춤형 제품을 대량 생산 수준의 비용으로 생산 가능한 스마트 팩토리에서는 개별 고객의 만족을 극대화시킬 수 있게 된다. 이것은 종래의 제품 중심에 일종의 서비스 개념이 더해지는 양상으로 전개된다. 스마트폰에 다양한 앱을 거래할 수 있는 앱 마켓도 함께 제공하으로써 핸드폰을 개인화된 서비스가 더해진 제품으로 만들어준다.

다. 스마트팩토리의 범위 및 분류

1) 스마트팩토리의 범위

스마트팩토리 분야는 크게 애플리케이션, 플랫폼, 디바이스로 구분할 수 있다.

① 애플리케이션

애플리케이션은 스마트팩토리 IT 솔루션의 최상의 소프트웨어 시스템으로 MES, ERP, PLM, SCM 등의 플랫폼 상에서 각종 제조 실행을 수행하며, 디바이스에 의해 수집된 데이터를 가시화하고 분석할 수 있는 시스템을 말한다.

애플리케이션 구성은 공정설계, 제조실행분석, 품질분석, 설비보전, 안전/증감작업, 유통/조달/ 고객대응 등이 있다.

② 플랫폼

플랫폼은 스마트팩토리 IT 솔루션의 하위 디바이스에서 입수한 정보를 최상위 애플리케이션에 전달 역할을 하는 중간 소프트웨어 시스템이다.

플랫폼은 디바이스에 의해 수집된 데이터를 분석하고 모델링 및 가상 물리 시뮬레이션을 통해 최적화 정보를 제공하며 각종 생산 프로세스를 제어/관리하여 상위 애플리케이션과 연계할 수 있는 시스템으로 구성되어있다. 플랫폼에는 생산 빅데이터 애널리틱스, 사이버 물리 기술, 클라우드 기술, Factory-Thing 자원관리 등이 있다.

③ 디바이스

디바이스는 스마트팩토리 IT 솔루션의 최하위 하드웨어 시스템으로, 공장의 모든 기초 정보를 감지 및 제어하는 컨트롤 기술, 네트워크 기술, 센싱 기술 등이 있다.

스마트 센서를 통해 위치, 환경 및 에너지 감지하고 로봇을 통해 작업자 및 공작물의 위치를 인식 하여 데이터를 플랫폼으로 전송할 수 있는 시스템으로 구성되어 있다.

스마트팩토리는 생산과 관련된 환경정보를 감지하고, 감지된 정보를 분석하고 판단, 그리 고 판단된 결과를 생산현장에 반영/실행하는 3단계로 구성되어있다.

① 감지

감지는 고객요구사항, 제품수명 등 시장 환경과 생산조건, 실적정보, 재고현황 등의 제품 환경, 그 리고 생산 장비, 인력운용 등의 생산 환경까지 관련된 모든 다양한 정보들을 수집하는 기능이다.

② 판단

판단은 생산 환경 정보와 생산 전략의 변화를 바탕으로 사전에 분석하고 정의된 기준에 따라 생산 환경 및 전략을 수정하는 것을 결정하는 기능이다.

③ **실행**

실행은 판단결과가 실시간으로 생산환경에 적용되기 위하여 네트워크를 통한 제어 및 생산 전략 변경을 수행하는 기능이다.

대분류	중분류	세부제품
스마트 제조 시스템	애플리케이션	MES(Manufacturing Execution System)
		ERP(Enterprise Resource Planning)
		PLM(Product Lifecycle Management)
		SCM(Supply Chain Management)
	플랫폼	생산 빅데이터 애널리틱스
		사이버물리 기술
		클라우드
		Factory-Thing 자원관리
	디바이스	컴포넌트 컨트롤러
		로봇
		센서

[표 28] 스마트팩토리 주요제품 분류

제조업 주기에 맞춘 스마트 제조기술별 구성요소로는 서비스·제품, 생산공정, 네트워크 연결 디바이스로 구분할 수 있다.

	서비스, 제품	생산공정	네트워크 연결 디바이스
기술 개발	빅데이터, 클라우드, 홀로그램 등 소비자 맞춤형 가상 제조, 소비자 요구 및 트랜드 분석 등	홀로그램, 에너지절감, 3D프린팅 등 실감형 제품 가시화, 마이크로 팩토리 공정 기술 등	스마트센서, IoT, 3D프린팅 등 스마트 복합센서, IoT플랫폼, 3D프린터 등
공정 적용	소비자 수요분석 및 제품 디자인단계에서 빅데이터 분석을 활용하고 제품의 서비스화 구현에 적용	스마트 공장 제품 설계 및 공장설비 단계에서, 가상 시제품 제작, 설비 공정 및 제조 등에 활용	스마트 공장 자동화 설비, 지능형 로봇, 등에 복합센서 연결 및 데이터 수집 및 제어 등에 활용
적용 제품	스마트 자동차, 착용형 스마트 기기 등	스마트 에너지 소비 네트워크, FEMS 등	스마트 컨트롤러 등

[표 29] 스마트팩토리 제조기술별 구성요소

2) 스마트팩토리의 분류

스마트팩토리의 분류는 산업 기술 분류표상에서 지식서비스, 기계·소재, 전기·전자 산업기술에 포함되며, 생산 공정 모델링/시뮬레이션, 자동화 관련 계측/센서 기술, 디스플레이 제조장비가 포함된다.

또한 산업기술 중분류를 기준으로 생산공정모델링/시뮬레이션은 연구개발/엔지니어링 서비스로 분류할 수 있으며, 자동화 관련 계측/센서 기술은 로봇/자동화 기계로, 디스플레이 제조장비는 디스플레이로 분류된다.

구분	산업기술_대분류	산업기술_중분류	산업기술_소분류
스마트팩토리	지식서비스	연구개발/엔지니어링 서비스	생산공정모델링/시뮬레이션
	기계, 소재	로봇/자동화 기계	자동화 관련 계측/센서 기술
	전기, 전자	디스플레이	디스플레이 제조장비

[표 30] 스마트팩토리 분야 산업기술분류

3. 스마트팩토리 기술동향

3. 스마트팩토리 기술동향

가. 산업용 로봇[20][21]

1) 산업 동향

로봇은 IT, BT, NT 등과 융합되어 미래생활을 획기적으로 변화시킬 파급효과가 높은 산업으로, 기계, 금속, 반도체, 전기·전자, 컴퓨팅 SW, 센서, 통신·네트워크 등 다양한 기술을 포함하고 있다. 제조용 로봇 분야의 전방산업은 자동차, 조선 등 대형제조업, 컴퓨터, 스마트폰 소형제조업, 반도체 등 정밀제조업, 제약、바이오산업 등 제조업이 대부분이고 제조용 후방 산업은 전자부품업, 기계부품업, 금형사출업, 물류, 유통, 항만산업, 금속, 로봇 부품, 반도체, 센서 산업 등이 있다.

후방산업	제조용 로봇 분야	전방산업
로봇부품 및 부분 산업, 금속·기계 산업, 전기、전자 제어장치 산업, 반도체·센서 산업, 컴퓨팅SW 산업, 재료·소재 가공산업	협동 로봇, 이적재용 로봇, 가공용 로봇, 조립용 로봇	용접응용 산업, 디스플레이 산업, 식품·의료 산업, 자동차, 조선 등 대형제조 산업, 컴퓨터, 스마트 폰 소형제조 산업, 정밀제조 산업, 의약, 바이오 산업

[표 31] 제조용 로봇 산업구조

이처럼 제조용 로봇은 자동차, 조선 등 대량생산 산업에서 대부분 반복 작업 등에 적용되고 있으며, 현재 중소기업의 다품종 소량 생산 방식에 적합한 로봇수요를 반영한 연구개발이 진행 중이다. 최근 산업형태가 대량생산 시스템에서 다품종 소량생산으로 변화하면서 작업 환경이 셀-생산 방식[22]으로 전환되고 있으나, 현재의 제조용 로봇은 구조적인 문제로 정교한 작업에 한계를 가지고 있고, 단순 반복 작업을 위해 개발되었기 때문에 복잡하고 환경변화가 발생하는 작업현장에 적용하기 어려운 상황이다.

로봇시장은 향후 견고한 성장을 보일 것으로 판단되고 있는데 그 근거로는 전방산업의 구매력, 선진국의 리쇼어링, 제조업에서의 경쟁력 심화를 들 수 있다.

① 전방산업의 구매력

산업용 로봇은 전체 로봇 시장의 절반을 차지하고, 다시 산업용 로봇 수요처의 절반은 전기전자 산업과 자동차 산업이 점유하고 있다. 해당 산업은 최근 코로나19의 영향에도 불구하고, 긍정적인 실적을 기록한 분야이다. 이는 해당 산업군들이 현재 기존 설비를 고도화하고, 신규로 생산능력을 확장할 능력을 보유하고 있음을 의미한다.

20) 제조용 로봇 기술 및 시장동향, 연구성과실용화진흥원, 2017.03
21) 로보틱스-산업용 로봇, Korea Start Scale Up day, 삼성증권, 2022
22) 소수의 직원이 처음부터 끝까지 여러 가지의 공정을 담당해 완제품을 생산하는 방식

② 선진국의 리쇼어링

과거 저렴한 인건비 효과를 통해 생산설비를 신흥국으로 이전했던 기업들이 본국으로 돌아올 가능성이 커지고 있다. 이는 물류비용이 상승하고, 부품과 제품의 운송 기간이 길어지면서 신흥국에서의 인건비 절감 효력이 반감하고 있기 때문이다. 또한 코로나19와 각종 지정학적인 이슈들이 야기한 공급 차질로 인해 비용만큼 안정적인 공급에 대한 가치가 중요해진 점이 존재한다.

문제는 선진국의 인력 상황이다. 선진국의 인건비 수준이 신흥국보다 높다는 점은 별도의 설명이 필요 없는 부분이다. 여기에 선진국의 현재 고용상황이 나쁘지 않다는 점도 고민이다. 미국의 경우는 현재 실업률이 완전 고용 수준이다. 여러 가지 이유로 생산시설을 선진국으로 이전하더라도, 기업 입장에서는 여전히 비용의 문제와 고용의 문제를 고민하지 않을 수 없다. 결론적으로 로봇과 자동화가 필요하다.

③ 제조업에서의 경쟁력 심화

세계은행에서 실시한 '자동화가 신흥국 제조업에 미치는 영향'에 대한 조사의 결론은 로봇과 자동화를 통한 생산성 제고효과가 노동대체효과보다 컸다. 즉, 인건비가 저렴한 신흥국에서조차 로봇을 도입하는 것이 효과적이라는 것이다. 결국 로봇과 자동화는 선진국뿐만 아니라 신흥국에서도 적용될 수밖에 없는 개념이라고 할 수 있다.

	고정로봇	협동로봇
비용	크고 고가. 실내의 정적인 위치에서 작동	고정 로봇보다 더 작고 저렴. (짧은 회수 기간)
안전펜스	필요	불필요(센서로 대체)
조작 및 운용	전통적인 프로그래밍 필요	비전문가도 프로그래밍 가능. 직관적 조작
특징	반복적인 작업을 하나 혹은 소수 수행	자율적이고 유연한 작업 수행
	높은 탑재량과 긴 도달 거리	낮은 적재하중과 짧은 도달 거리

[표 32] 고정식 로봇 vs 협동로봇

최근 로봇시장에서는 협동로봇이 급격하게 성장하고 있다. 협동로봇은 말그대로 인간과 로봇이 같은 공간에서 함께 작업 가능한 로봇을 의미한다. 기존의 고정 로봇과 비교하면 그 크기가 작고 가격도 저렴하다. 또한 근로자를 위한 안전펜스가 불필요하여 점유하는 공간이 적고, 보다 자율적이고 다양한 작업을 수행할 수 있다. 조작과 운용 역시 손쉬운 편이다.

협동로봇의 등장은 로봇의 수요 측면에서는 보다 다양한 로봇 구매자가 나타날 수 있음을 의미한다. 로봇의 가격과 공간을 감안하면 중소기업들도 제조현장에서 로봇을 도입할 수 있다.

이러한 변화는 로봇 공급자들에게도 긍정적이다. 이전에는 고가의 대형 로봇을 공급할 수 있는 소수의 업체만이 시장에 진입할 수 있었다. 로봇을 소비하는 업체와 산업이 한정적인 만큼 이들과 밀접한 관계를 유지하는 로봇업체들이 유리할 수밖에 없었다. 국내 로봇 업체들이 대부분 제조업을 기반으로 한 대규모 기업집단의 관계사라는 점은 우연이 아니다.

하지만 협동로봇의 등장은 중소 제조업체들에게도 사업참여 기회가 제공되었음을 의미한다. 대형 제조업체를 고객으로 확보하지 못했더라도, 그리고 대규모 자금여력이 없더라도 로봇을 제조하고 공급할 수 있게 된 것이다. 더욱 긍정적인 부분은 협동로봇 시장은 아직 성숙한 시장이 아니라는 점이다. 협동로봇이 전체 산업로봇 시장에서 차지하는 비중은 6%(2020년 기준)에 불과하다.

가) 미국

2020년 기준 미국은 세계 산업용로봇의 연간 설치대수 국가별 순위에서 중국, 일본에 이어 3.1만대로 3위를 기록했다. 미국에서 산업용로봇은 주로 자동차, 전기전자, 음식료 순으로 활용된다.

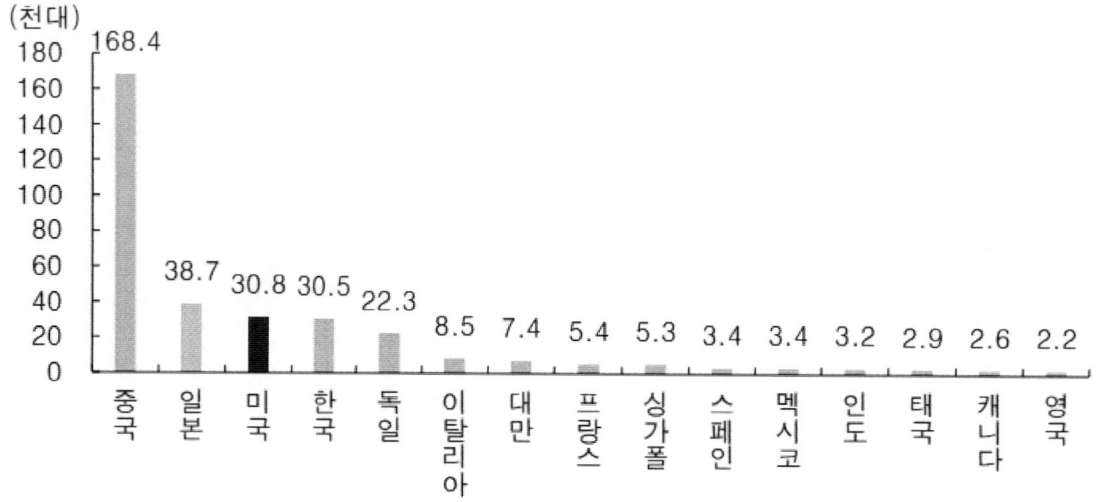

[그림 25] 세계 산업용로봇 연간 설치대수 상위 15개국 (2020년)

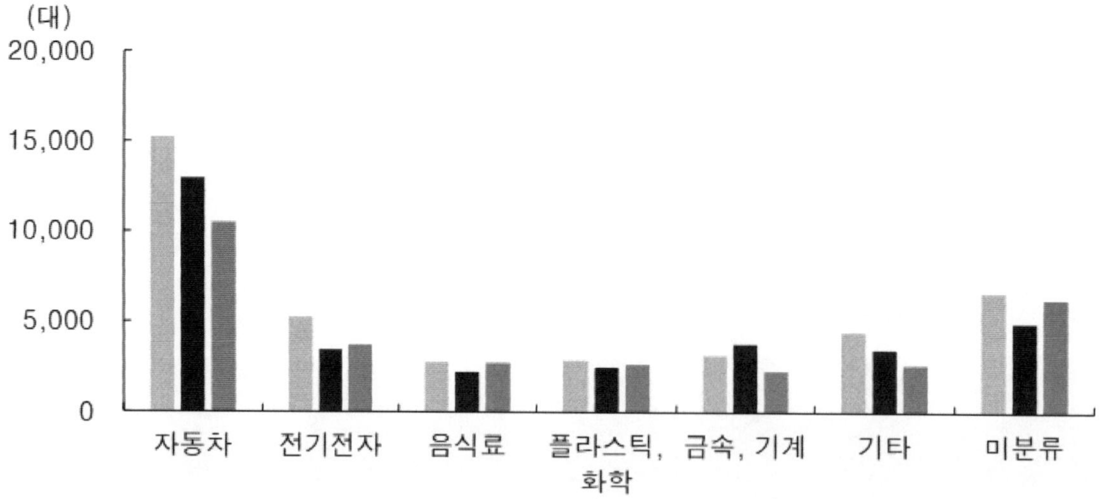

[그림 26] 2018~2020년 미국 산업용로봇 고객군별 설치대수

1980년대 들어서기까지 미국은 로봇을 포함한 최대 공작기계 생산국이었고 산업의 혁명을 일으킬 새로운 기술인 CNC(컴퓨터 수치제어)를 개발했지만, 1980년대 후반으로 가면서 일본과 독일에 추월당하게 되었다. 1980년대 초 미국의 기계산업 쇠퇴 원인은 생산의 자국 소비 의존도가 높았는데 수요가 급감했고, 변동성 높은 수주산업 특성상 미국은 납기가 지연되는데 반해 일본은 더 빠르게 주문을 충족시켜 나갔으며, 일본업체들은 제품기술과 공정기술 모두 우위를 점하면서 CNC 시장에서 실질적인 생산성 우위를 확립했기 때문이다.

미국은 연구개발 투자를 통해 제조업에 활기를 불어 넣기 위해 “Made in USA” 정책을 강화하면 향후 반세기 미국 제조업 부흥을 이끌어 갈 수 있다고 보았다. 이러한 제조업 혁신전략은 이미 “첨단 제조업 파트너쉽(AMP)”으로 구체화되었고, “제조업혁신 국가네트워트(NNMI)” 사업도 추진 중에 있다.

특히 미국은 로보틱스를 제조업에 혁명적 변화를 가져올 기술로 인식했다. 미국 노동자는 더 이상 저임금 생산직에 종사하고 싶어하지 않으며, 기업은 건강보험료와 의료비 상승으로 인건비 부담이 늘어났다. 제품 소형화 및 제품 수명주기 단축으로 기술집약도가 높아지고 있기 때문에, 인간의 노동력만으로는 변화하는 시장상황에 능동적으로 대처하고 정밀하고 신뢰도 높은 제품을 생산하면서 지속적으로 생산라인을 변경하는데 한계가 있을 수 밖에 없다.

첨단 로봇공학 기술은 더 많은 일자리를 창출하고, 근로환경을 개선할 수 있으며, 글로벌 국가경쟁력을 제고할 수 있다는 측면에서 로봇 로드맵의 필요성이 제기되었고, 미국의 로봇 정책으로 수립되었다.

미국 로봇 정책은 NRI 1.0과 NRI 2.0으로 추진되어왔다. 2006년 NSF(국립과학재단), NASA(항공우주국), NIH(국립보건원)의 공동 지원 아래, WTEC(세계기술평가센터)에 의해 국제 로봇공학 연구개발 평가 보고서가 발간되었는데, 이후 2009년 NSF의 지원을 받아 로보틱스 자문위원회가 미국 로보틱스 로드맵을 발표했고, 이를 근간으로 오바마 대통령이 2011년 NRI 1.0을 발표했다. 이후 국가 로봇 이니셔티브 2.0은 2009년 작성된 로드맵을 바탕으로 2013년과 2016년에 2차례 개정이 이루어졌고, 2016년 개정된 내용을 근간으로 NRI 2.0이 발표되었다.

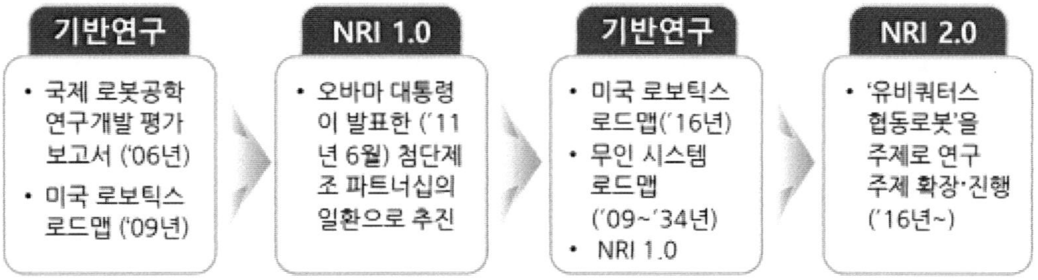

[그림 27] 미국 로보틱스 로드맵 추진 경과

미국은 국가 로봇 이니셔티브(NRI 2.0) 추진을 통해 학계, 산업계, 비영리조직 등 기관 및 기업간에 협력을 이끌어냄으로써 기초과학, 엔지니어링, 기술 개발 및 전개 등의 발전을 꾀하고 있다. 특히 NRI 2.0 핵심 중 주목할 만한 부분은 우주 로보틱스와 군사용 자율주행차량 및 시스템 분야다.

나) 일본

일본은 2020년 기준 세계 산업용로봇의 연간 설치대수 국가별 순위에서 중국 16.8만 대에 이어 3.9만대로 2위를 기록했다. 일본에서 산업용로봇은 주로 전기전자, 자동차부품, 금속기계 순으로 활용되고 있다.

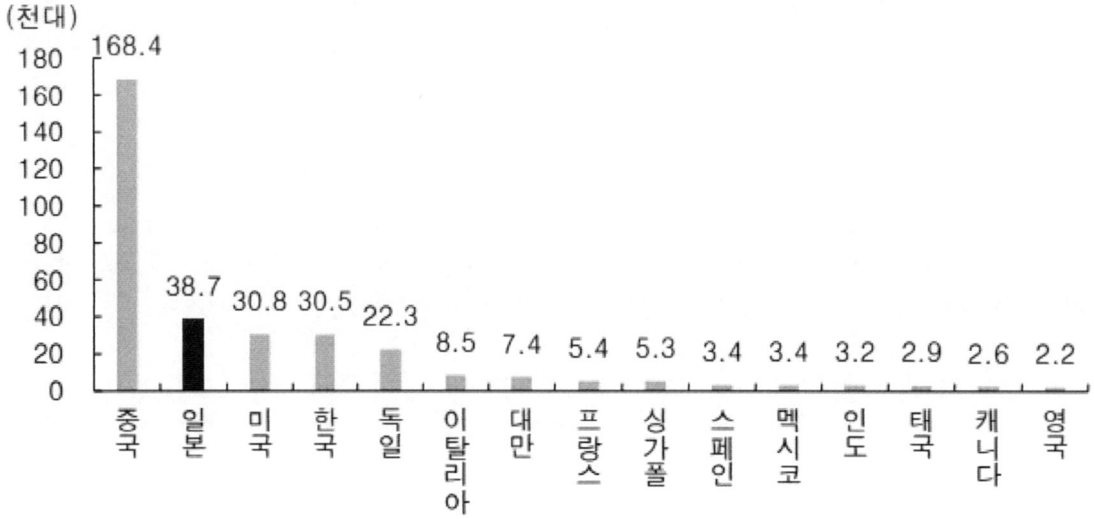

[그림 28] 세계 산업용로봇 연간 설치대수 상위 15개국 (2020년)

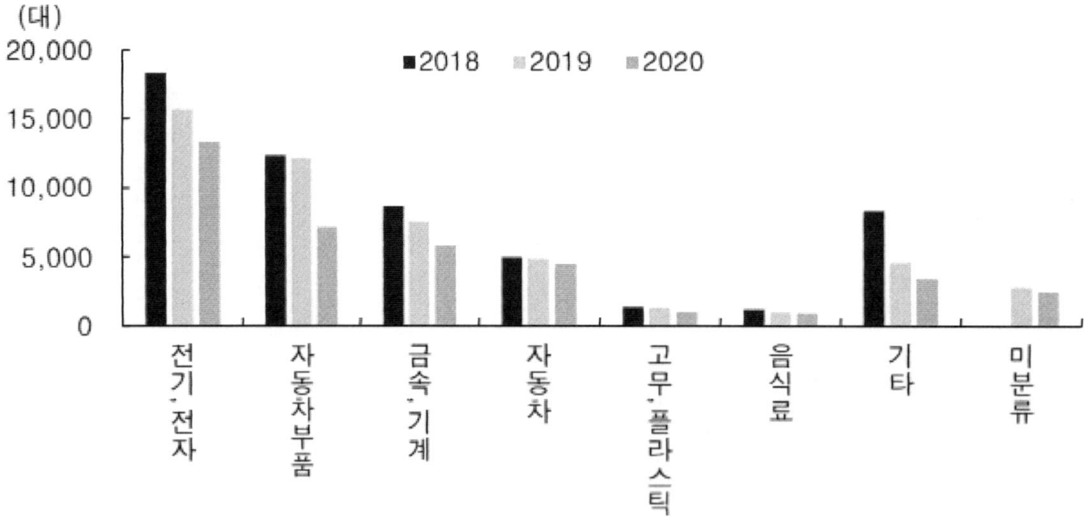

[그림 29] 일본 산업용로봇 연간 설치대수-고객군별

일본은 최근 10년간 급격한 고령화 사회를 경험하고 있으며, 2065년까지 일본 총인력이 40% 감소할 것으로 전망된다. 이에 자동화된 시스템과 첨단 산업 기계 및 장비에 대한 로봇 수요 증가할 전망이다.

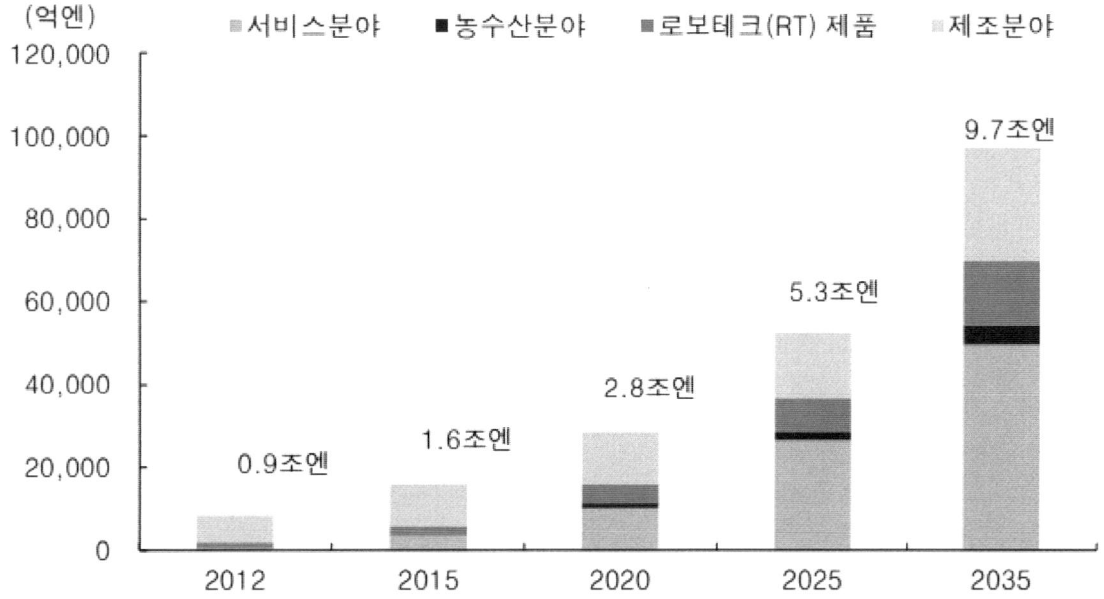

[그림 30] 일본 로봇산업 시장 전망

2020년 기준 일본은 세계 산업용로봇 설치 순위 2위를 기록하고 있고, 제조업 로봇밀도 순위도 3위로 선두권을 지켜오고 있다. 또한, 높은 로봇 매출 외에 정밀 감속기어, 서보 모터, 특수센서 기술 등 핵심 부품에서도 높은 시장 지위를 가지고 있다.

다만 산업용 로보틱스 구축과 배치, 핵심 기술을 보유한 것으로 평가받는 일본도 산업용 로봇 이상의 성장에서는 만족스러운 성과를 내지 못하고 있었던 것으로 보인다. 의료용 보조 외골격 로봇, 휴머노이드, 해양, 자율주행 등의 분야에는 성공적으로 진출하고 있으나, 재난 구조용 로봇, 물류용 모바일 로봇, 의료용(외과용) 로봇, 협업로봇 등에서는 성과가 미흡했다는 평가를 받고 있다.

2010년 이전 일본의 로봇 전략을 살펴보면, 1970년대에는 오일쇼크 극복을 위해 생산성 향상을 목표로 제조분야 로봇을 도입했고, 1980년대에는 자동차 제조분야 용접 공정 등에서 로봇 사용을 확대했다. 1990년대에는 버블 경제 붕괴로 인한 정체기에 기업별 로봇 기술 노하우를 축적했으나, 2011년 후쿠시마 원전 사고 당시 현장에서 자국 로봇을 활용하지 못하는 현실에 충격을 받게 되었다. 결국, 일본의 경제위기 의식 고조로 자국 내 사회 문제(낮은 출산율, 생산연령 고령화, 사회 복지비용 부담 증가) 해결 및 글로벌 경쟁력 강화를 위해 2015년 2월 범 정부차원의 로봇 신전략(로봇 혁명)을 추진하게 되었다.

로봇 신전략의 방향성 세가지는 세계 로봇 혁신거점화, 세계 제 1의 로봇 활용사회, 로봇과 인접기술(빅데이터, 네트워크, 인공지능)과의 선제적 융합이다. 또한, 일본은 액션플랜 5개년(2015~2020) 계획을 통해 제조/서비스, 간호/의료, 농식품, 인프라/재해대응/건설 등에 투자를 확대하고, 규제개선과 인재양성을 주요 정책과제로 삼았다.

다) 중국

중국은 2013년 이래로 세계 최대 로봇 시장의 지위를 유지하고 있다. 2020년 중국의 로봇시장 규모는 코로나19 상황에서도 971억 위안을 기록했으며 2021년에는 1,233억 위안으로 확대될 것으로 예상되기도 했다. 2020년 중국 내 신규 로봇 설치 대수는 16만 8,377대로 약 20% 증가했으며, 분야별로는 전기/전자 산업에서의 로봇 도입 비중이 37%, 자동차 산업은 16%를 기록했다.

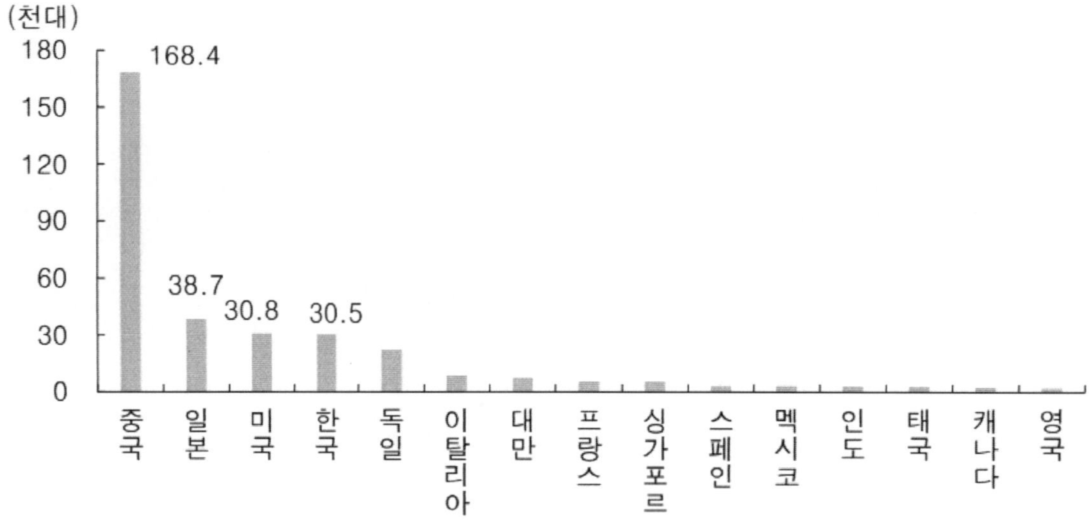

[그림 31] 주요 국가별 산업용 로봇 설치 대수 (2020)

중국은 로봇산업을 통해 제조 분야의 효율성을 높이고, 임금 상승과 핵심기술·부품의 높은 대외의존도에 따른 제조업 경쟁력 하락을 막기 위해 생산 및 물류 자동화 분야 중심으로 관련 투자를 확대하고 있어 주목받고 있다. 2019년 기준 중국 제조업의 로봇 도입 대수는 근로자 1만 명당 187대로 전세계 15위 수준이지만, 일본(364대), 한국(855대)과 비교 시 로봇 도입 확대 여력이 여전히 높다.

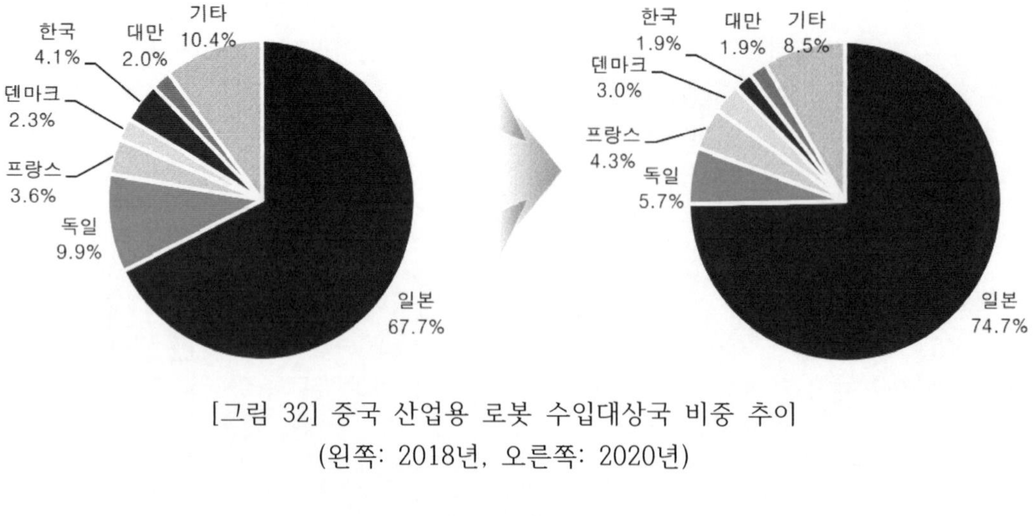

[그림 32] 중국 산업용 로봇 수입대상국 비중 추이
(왼쪽: 2018년, 오른쪽: 2020년)

중국은 2013년 이래로 세계 최대 산업용 로봇 시장 지위를 유지하고 있지만 아직 로봇 기술력이 부족해 모터, 센서, 감속장치 등 핵심 부품에 대한 대외의존도가 높은 상황이다. 실제로 2020년 기준 중국 내 신규 도입되는 로봇의 73.2%는 ABB, FANUC, KUKA, NACHI, YASKAWA 등 외국 제품인 것으로 파악되었다, 수입대상국가의 비중은 일본이 74.7%로 가장 높고, 독일 5.7%, 프랑스 4.3%, 덴마크 3.0%, 한국 1.9% 순으로 조사되었다.

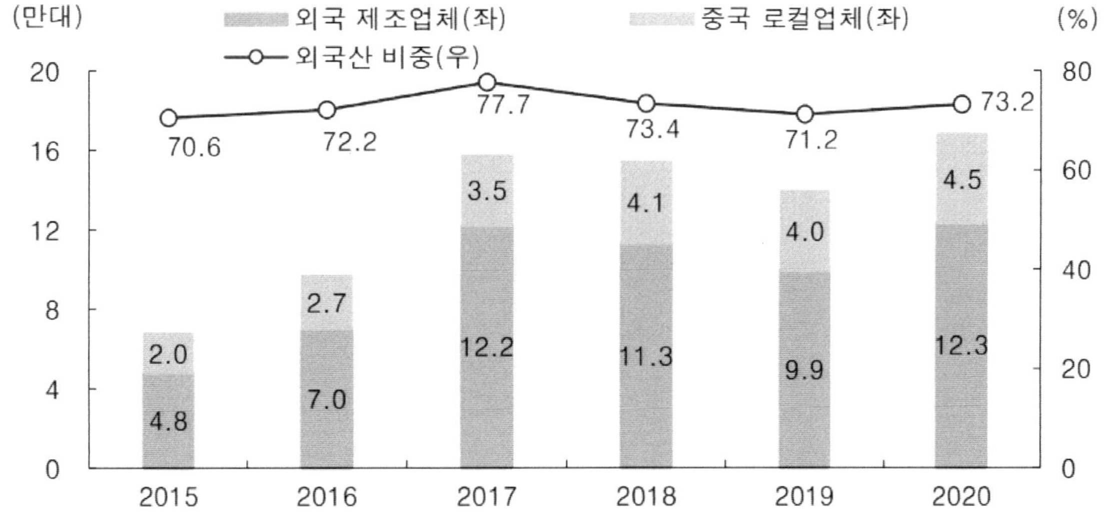

[그림 33] 중국 산업용 로봇 설치 대수 및 외국산 비중 추이

분류		주요기업
해외	산업용	ABB, FANUC, KUKA, YASKAWA, NACHI
	부품	Nabtesco, Harmonic, Rexroth
로컬	산업용	신숭, 안후이 아이푸터, 하얼빈 버스
	특수용	GQY, 신숭
	부품	난퉁전캉, 친찬, 리워디세퍼, 구가오

[표 33] 중국 내 주요 로봇 제조사

지난 2015년 중국 정부는 제조 강국 대열에 합류하는 것을 목표로 중국제조2025 정책을 발표하고, 2025년까지 핵심 기술과 부품·소재를 70%까지 자급하겠다는 목표를 수립했다. 또한, 2021년 14차 5개년 규획 기간(2021~25)에서 로봇 산업 육성 및 산업구조 고도화를 재차 언급한 만큼, 정부 차원의 지원 정책 강화 및 로봇기술 연구 개발 확대 기조가 이어질 전망이다.

연도	정책	주요내용
2011	국민경제와 사회발전 12.5 규획	• 제조업 수준 향상, 스마트제조 장비 구축 등을 강조 • 산업용 로봇을 첨단설비 제조업의 주요 업종으로 확정
2012	스마트제조 과학기술 발전 12.5 중점 전문 규획	• 산업용 로봇의 본체와 감속기, 서보드라이버, 제어기 등 핵심부품의 범용기술 개발과 자동공정화 제품의 연구개발, 산업용 로봇 및 그 핵심부품의 기술혁신과 산업화 실현을 목표로 제시 • 스마트기기와 자동제어시스템, 산업용 로봇, 핵심부품 개발, 로봇에 기반한 장비생산라인 자동화 구축 강조
2015	중국제조 2025	• 로봇산업을 제조업의 10대 전략적 육성산업으로 제시 • 기업의 연구개발 및 생산관리, 스마트화 수준 제고, 로봇 본체, 감속기, 서보모터, 제어기, 센서 및 디스크 드라이버 등 핵심부품 및 시스템 통합 분야의 기술 경쟁력 제고 강조
2016	제13차 5개년 규획 요강	• 산업용 로봇, 서비스 로봇, 수술 로봇, 군용로봇 개발
2016	로봇 산업 발전 규획 (2016~20)	• 국내 산업용 로봇의 연간 생산량 10만 대, 서비스 로봇 매출액 300억 위안 실현
2016	13.5 국가과학기술 혁신 규획	• 차세대 로봇 기술 연구, 산업용 로봇 산업화 추진, 서비스 로봇 상품화 및 특수 로봇 대규모 응용 실현
2016	산업용 로봇 산업 규범관리 실시방법	• 산업용 로롯 응용시장 개척 및 로봇 시범사업 추진
2017	스마트로봇 17년 주요 프로젝트 특별 신청 지침	• 스마트로봇 기초기술·차세대로봇·범용기술·산업용로봇·서비스로봇·특수로봇의 6대 발전방향 제시
2017	국가 로봇표준체계 수립 지침	• 약 100여 개의 로봇 관련 국가·산업 표준 수정을 통한 완비된 로봇표준체계 수립
2021	제14차 5개년 규획 및 35년 비전 목표 요강	• 로봇·첨단 컴퓨터수치제어와 같은 산업 혁신 발전, 위험한 직무의 로봇 대체 등 추진

[표 34] 중국의 로봇 산업 주요 정책

라) 한국

우리나라는 세계 5위 규모의 로봇 시장으로서, 2020년 로봇산업 내수액은 7조 5,689억원, 수출액은 1조 3,374억원으로 나타났으며 로봇산업 총 출하액(내수+수출)은 8조 9,063억원을 기록했다. 부문별 출하 비중이 30.6%로 가장 높은 제조업용 로봇 출하액은 2조 7,296억원으로 2.6% 소폭 증가하는데 그쳤다.

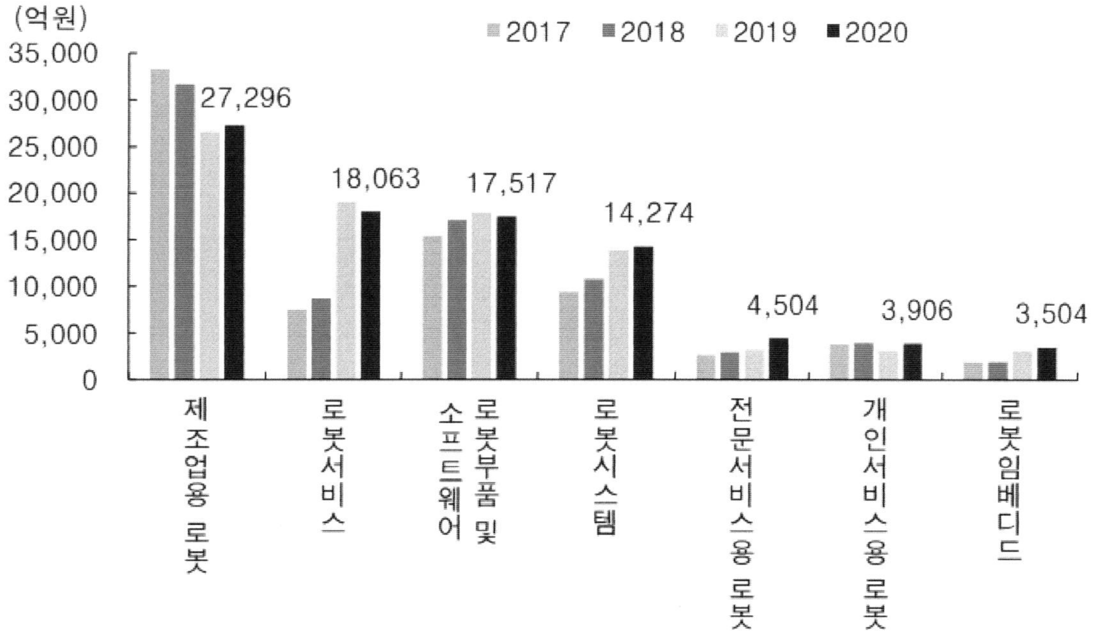

[그림 34] 로봇산업 부문별 출하액 추이

2018년 국내 산업용(제조) 로봇 가동대수는 30만대를 돌파했으며 연간 설치 규모면에서 일본, 중국, 미국에 이어 네 번째로 큰 시장으로 조사되었다. 한국은 지난 2020년 기준 근로자 1만명 당 로봇(산업용) 도입 대수가 932대로 전세계에서 로봇 밀집도가 가장 높았다. 이는 세계 평균(126대) 대비 약 8배 이상 많고, 3위인 독일(338대), 4위 일본(327대)에 비해 2배 이상 높은 수준이다. 또한, 2019년까지 로봇 밀집도 1위를 기록했던 싱가포르를 넘어서 고무적으로 평가되고 있다. 최근 국내에서는 전기/전자, 반도체, 자동차 업계에서 로봇 활용도가 높아지는 상황이다.

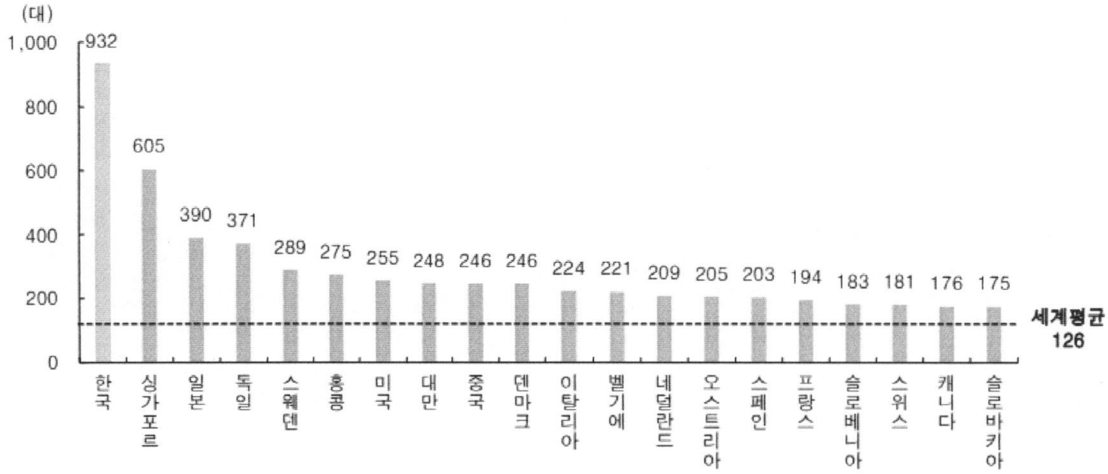

[그림 35] 국가별 산업용 로봇 밀집도 현황 (2020)

미국, 독일, 일본 등 전통적인 제조업 강국은 로봇 산업을 차세대 성장동력으로 선정하고 정부차원의 투자를 확대하고 있다. 우리나라도 지난 2008년 지능형 로봇법을 제정하고 제조업 및 서비스업 혁신을 뒷받침하기 위해 5년마다 기본계획을 수립하고, 체계적인 로봇산업 육성 정책을 추진하고 있다.

현재 추진중인 '제3차 지능형 로봇 기본계획(2019~23)'의 주요 목표는 로봇산업 시장규모 23년 15조원으로 확대, 1천억 이상 로봇전문기업 수 23년까지 20개사로 확대, 제조 로봇 보급대수 23년까지 누적 70만대이다. 이를 위한 주요 과제는 뿌리산업(자동차, 조선, 전자 등)을 비롯한 섬유, 식음료 등 3대 제조업 중심 제조 로봇 확대 보급, 물류, 의료, 웨어러블, 돌봄 등 4대 서비스 로봇 분야 집중 육성, 로봇산업 생태계 기초체력 강화다.

최근 인천시는 청라국제도시 약 23만평 (76만 9279m²) 부지에 7,113억 원을 들여 로봇산업 클러스터를 조성하고 일부를 운영 하고 있다. 2019년 발표된 '로봇산업 혁신성장 지원 종합계획' 에 따르면, 인천시는 2024년까지 로봇 기업 200개사, 연매출 7,000억원, 고용인원 3,000명 달성을 목표로 하고 있다. 인천은 현재 낮은 임대료 (3.3㎡당 1만5,600원), 보증금 면제, 입주 기업 제품 우선 구매 등의 지원책을 제공하고 있으며, 2021년 중국 웨이하이시와 로봇산업 육성 MOU 체결, 2025년 제3연륙교 개통, 2027년 인천 지하철 7호선 개통 등으로 기업 활동을 지원할 예정이다. 최근에는 2026년까지 1,104억을 투입해 커넥티드카와 자율주행차 기술 개발에 나서 미래자동차 산업 기반을 마련하겠다고 발표했다.

국내 각 대기업도 미래 먹거리로 로봇 산업을 선정하고 있다.

① LG전자

LG 전자는 2017년부터 약 1,000억원을 로봇 기업에 투자하고 있다. LG 전자는 2017년 SG 로보틱스 인수를 시작으로, 로보티즈, 로보스타, 보사노바로보틱스 등에 투자했으며, CES 2022에서 서비스용 로봇 LG클로이봇을 선보였다.

② **현대자동차**

현재자동차는 2021년 보스턴다이내믹스를 약 1조에 인수했으며, CES 2022에서는 4족 보행 로봇 스팟, 인간형 로봇 아틀라스, 물류로봇 스트레치를 공개했으며, 자동차가 아닌 로보틱스 비전을 발표했다.

③ **삼성전자**

삼성전자는 2020년 8월 이재용 부회장이 향후 3년간 로봇과 AI 등 미래 기술 사업에 240조 원을 투자하겠다고 언급하고 이후, 2021년 12월에는 로봇사업화 테스크포스(TF)를 로봇사업팀으로 상설 조직화했다. 또한, CES 2022에서는 삼성봇핸디, 삼성봇아이 등을 선보였다.

2) 기술 동향

가) 협동로봇[23)24)]

(1) 기술 개요

협동 로봇은 사람과 작업공간을 공유하며 물리적으로 상호작용할 수 있는 산업용 로봇으로, 안전 펜스 등 방호장치 없이 사용 가능하다는 점이 전통 산업용 로봇과 구별되는 가장 큰 특징이며 동작 방식(4가지), 용도(3가지)[25)], 작업 시·공간(3가지)[26)] 등에 따라 다양하게 구분된다.

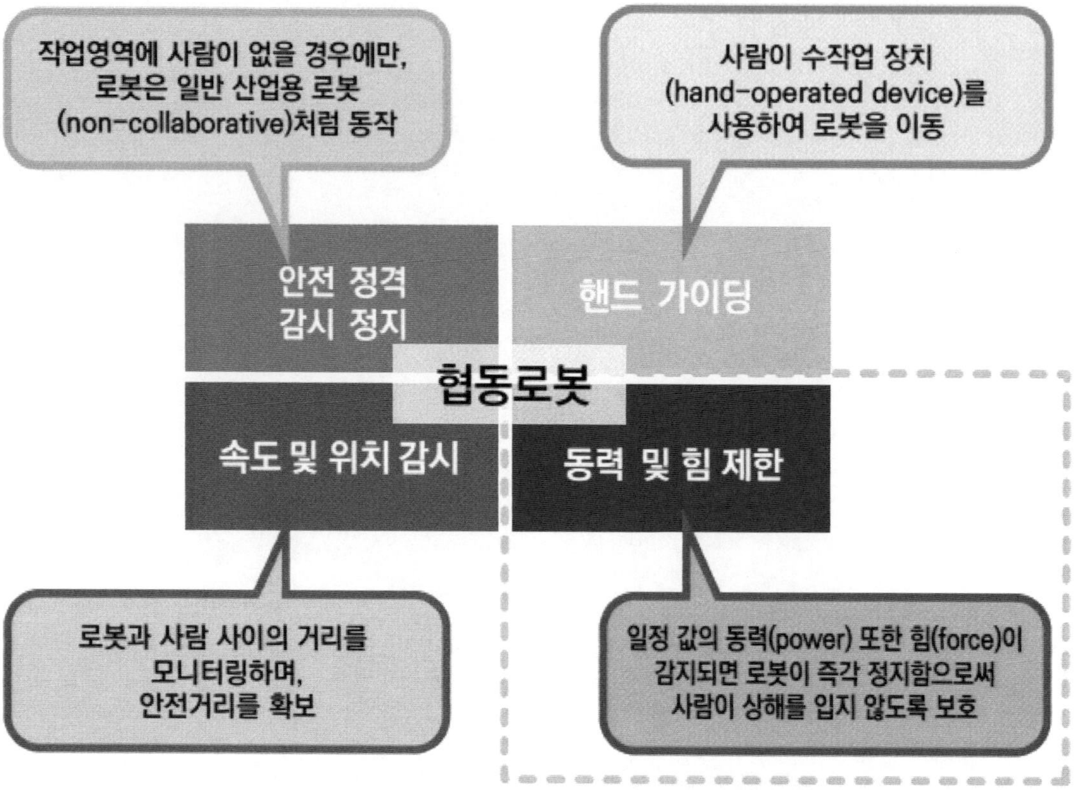

[그림 36] 동작 방식에 따른 협동 로봇 분류

현재 기술 수준으로 협동 로봇은 파지·이송(Pick&Place), 적재(Palletizing) 등 간단한 공정에서부터 조립(Assembly), 연마(Polishing), 투여(Dispensing) 등 비교적 까다로운 공정에까지 활용이 가능하다. 협동로봇은 작업자 의도를 학습하고 이를 바탕으로 작업조건을 변경하기 위한 직접교시 기술이나 공정과 작업자 행동을 인식하는 센서 및 충돌감지 기술 등 사물인터넷, 인공지능, 빅데이터 기반의 디지털 기술이 함께 활용되고 있다. 협동 로봇을 제조 또는 사용하기 위해 제조사와 사업주는 국제표준과 안전 관련 의무를 준수해야 한다.

---

23) 융합 Weekly Tip, 협동로봇 산업 동향, 융합연구정책센터, 2018.04.16
24) 협동 로봇 : 중소기업 스마트 제조의 시작점, 한국무역협회, 2021
25) (1) 일반제조용, (2) 전문제조용, (3) 의료산업용
26) (1) 작업 공간 및 시간 모두 공유, (2) 작업 공간만 공유(시간 분리) (3)작업 시간만 공유(공간 분리)

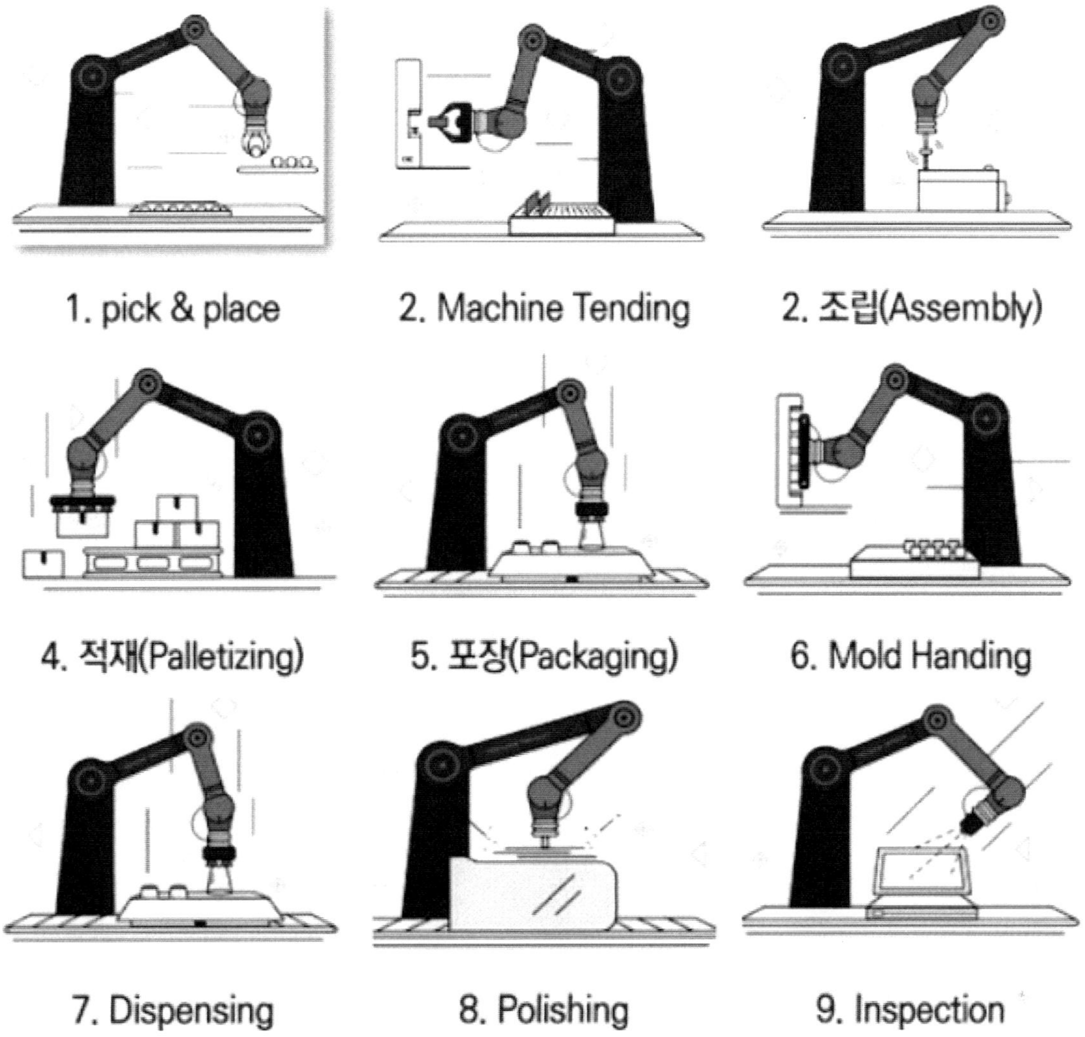

[그림 37] 협동 로봇의 9가지 주요 기능

[그림 38] 협동 로봇 관련 국제표준 및 안전 의무

협동로봇은 높은 안전성과 조작 편의성, 소규모 설치 면적, 공정 재배치 용이성 등의 측면에서 전통 산업용 로봇에 비해 이점을 지니고 있어 다양한 공정 및 작업에 유연하게 활용이 가능하다.

구분	협동 로봇	전통 산업용 로봇
크기	비교적 소형 →낮은 공간점유율	다양한 크기의 라인업 존재 →높은 공간점유율
가반하중[27]	3~16kg	~200kg+
설치	안전펜스 불필요(센서로 대체) →설치 위치 이동 가능	안전펜스 필요(1.8m 이상) →설치 위치 고정
공간	사람과 작업공간 공유	안전펜스 내 사람 접근 금지
속도	안전을 위한 감·가속 가능	빠름
조작	설치·운영 용이, 직관적 조작	설치·운영 복잡, 조작에 숙련 필요
비용	저가(대당 2~6천만 원 수준) →짧은 자금회수기간	고가(대당 1억 원 이상) →긴 자금회수기간
공정	다품종 변량 생산에 적합	소품종 대량 생산에 적합

[표 35] 협동 로봇과 전통 산업용 로봇 특징 비교

범용성이 뛰어나고 타 산업으로의 확장 가능성이 큰 협동 로봇은 산업용 로봇 산업의 새로운 성장 동력으로서 전통 산업용 로봇의 한계를 극복할 수 있는 잠재력을 지니고 있다. 전통 산업용 로봇은 업종별, 공정별로 특화되어 개발되다 보니 하드웨어 및 소프트웨어 재사용이 어렵고, 파편화·세분화된 시장구조로 인해 대량생산이 어려워 판매가격이 높다는 한계를 지니고 있다. 이에 반해, 협동 로봇은 한 대로도 다목적 활용이 가능하여 생산 제품 및 라인의 변경에 유리할 뿐만 아니라, 하드웨어 및 소프트웨어 재사용이 쉬워 유지보수 및 관련 서비스 연계를 통해 로봇 제조기업이 추가 수익을 창출하는 데도 용이하다. 또한 안전펜스 없이 인간과 작업 공간을 공유할 수 있다는 점에서, 산업용 로봇에 비해 높은 성장성을 보이는 서비스용 로봇 시장으로도 수요 저변을 확대할 수 있다.

27) 가반하중(payload)은 로봇이 들어 옮길 수 있는 최대 무게를 의미한다.

(2) 시장 전망

협동 로봇 시장은 2020년 4.8억 달러에서 연평균 33%씩 성장하여 2030년 80억 달러에 이를 전망이다. 산업용 로봇 시장에서 협동 로봇의 매출 비중은 2018년 5%에서 2022년 13%로 빠른 성장이 예상된다.

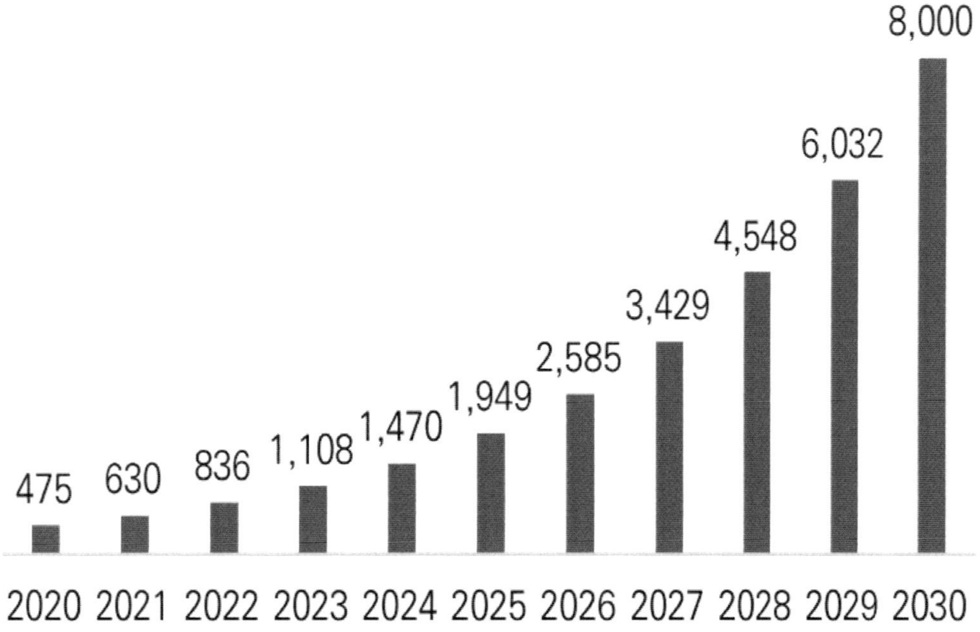

[그림 39] 세계 협동 로봇 시장 매출액 추이 및 전망 (단위: 백만 달러)

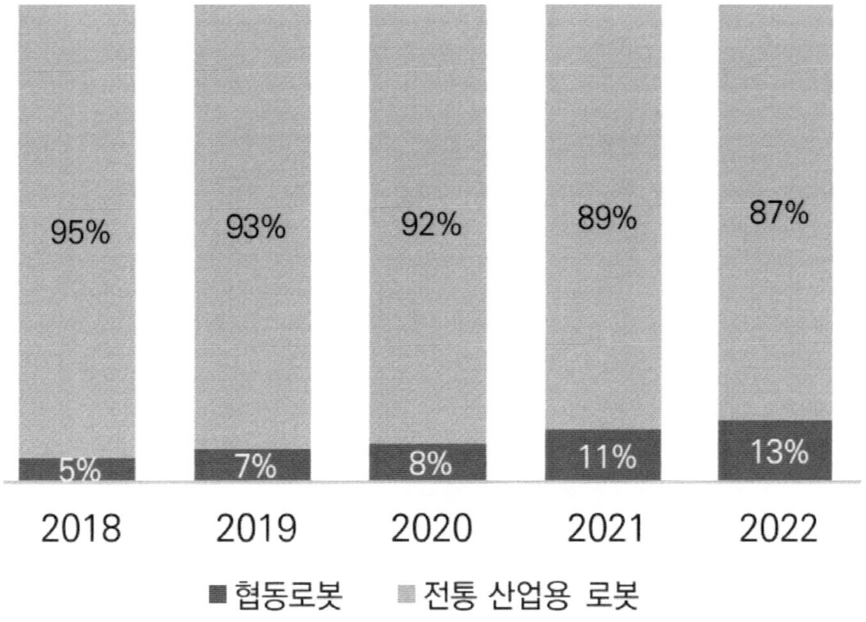

[그림 40] 산업용 로봇 시장 내 협동 로봇 매출 비중 추이

2025년 주요 5개국(중·미·일·한·독)에서 판매되는 협동 로봇이 전 세계 판매 대수의 90%를 점유할 전망이며, 이는 2020년 산업용 로봇 연간 설치 대수에서의 5개국 합산 점유율(86.8%)과 근사한 수치다.

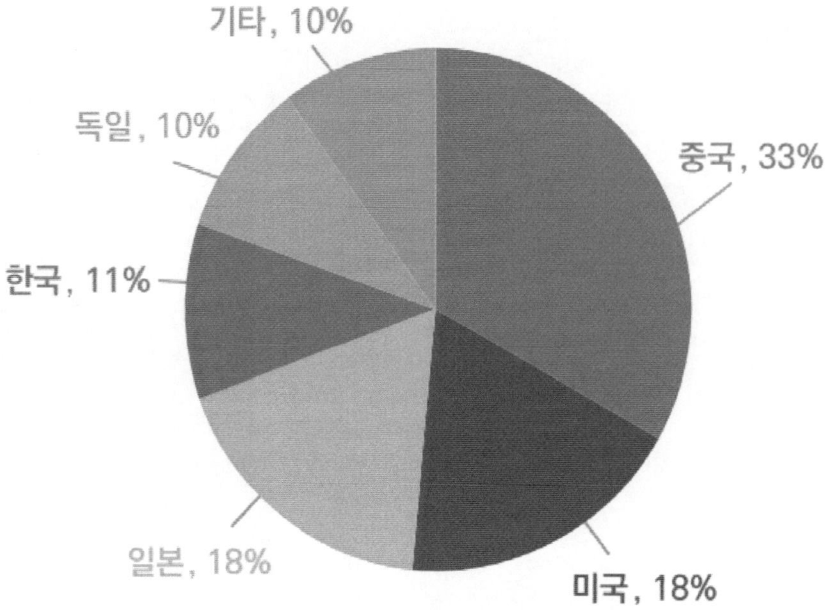

[그림 41] 세계 협동 로봇 연간 판매 대수의 국가별 점유율 전망(2025)

현장에 신규로 투입되는 협동 로봇의 절반은 산업용 로봇의 양대 수요 산업인 전기·전자(34.1%) 또는 자동차(16.0%) 분야로 향하고 있으며, 향후 금속·기계 등 다른 분야에서의 활용이 점차 확대될 전망이다.

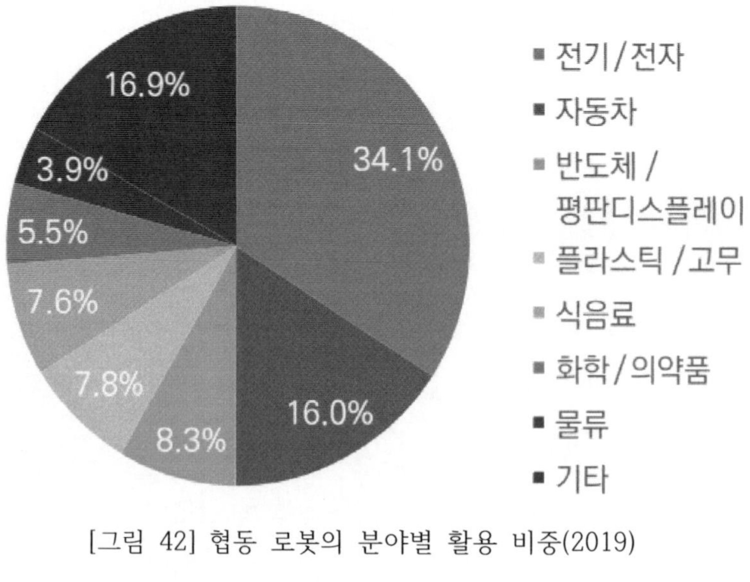

[그림 42] 협동 로봇의 분야별 활용 비중(2019)

또한, 협동 로봇이 활용되는 여러 공정 가운데 자재 핸들링(Material Handling), 조립(Assembly), 파지·이송(Pick&place) 등 3개 공정의 활용 비중이 70% 이상인 것으로 조사되었다. 이 3개 공정에서의 활용은 앞으로도 지속적으로 높은 비중을 유지할 것으로 전망된다.

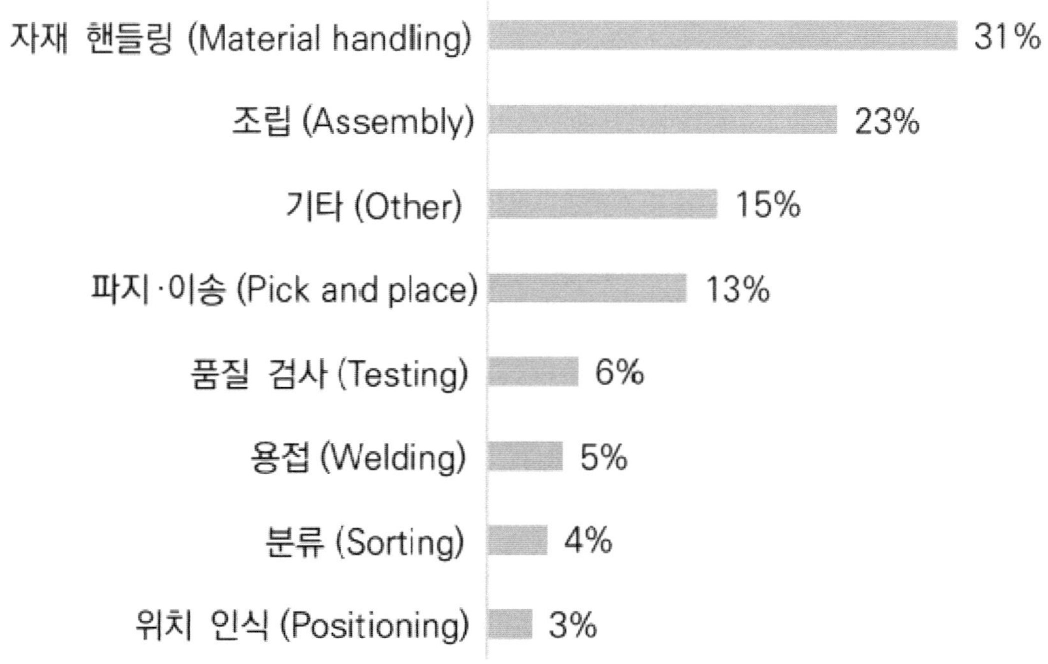

[그림 43] 협동 로봇의 공정별 활용 비중 전망(2022)

(3) 도입사례

국내외 중소 제조기업들은 협동 로봇을 도입해 생산성 향상, 비용 절감, 노동의 질 제고 등의 효과를 얻고, 이를 통해 기존보다 유연한 생산체제를 구축하는 계기를 마련하고 있다.

① (국내) ㈜현대고주파열처리

임금 상승에 따른 제조원가 절감, 품질 향상을 통한 수율 극대화, 작업자 근골격계 피로도 감소 등을 위해 ㈜현대고주파열처리는 고주파 열처리 공정에 파지·이송, 머신텐딩 기능을 수행하는 협동 로봇(가반하중 10kg)을 2대 투입했다.

㈜현대고주파열처리에서는 열처리 전의 자동차 부품을 고주파처리기에 투입하고, 처리가 완료되면 해당 부품을 뽑아 컨베이어 벨트 위에 올려놓는 작업을 협동로봇을 통해 수행하고 있다. 협동 로봇을 교육시키는 데는 품목당 30~60분, 로봇에 대해 전혀 알지 못하는 작업자가 로봇과의 협업에 익숙해지는 데는 약 1개월이 소요되었다.

이 효과로 불량률 감소(0.03%→0.01%), 생산성 31% 향상, 직원 2명 추가고용의 성과를 이루었다.

② (해외) 콘티넨탈AG 스페인

콘티넨탈AG 스페인은 생산의 효율성과 유연성을 향상시키면서도 스마트 공장 고도화에 부합하는 자동화 솔루션 모색을 위해 PCB보드 구성요소 조립을 위해 파지·이송, 머신텐딩 기능을 수행하는 협동 로봇 2대를 투입했다.

콘티넨탈AG 스페인에서는 협동 로봇의 모든 전자장치, 로봇 컨트롤러 및 PLC(논리제어장치)를 로봇 중앙 제어박스에 통합하고, 이를 네트워크(산업용 이더넷)를 통해 기존 로봇 시스템과 연결했다. 이에 따라 외부 전문가 도움 없이도 중앙에서 쉽게 프로그래밍 변경이 가능해졌다.

협동로봇 도입의 효과로 효율성 및 유연성 향상(작업 전환 소요시간 50% 단축), 유지보수 비용 절감, 노동의 질 향상(고부가가치 업무에 집중), 작업 안전도 증가의 성과를 이루었다.

나) 기계학습

(1) 기술 개요[28)]

기계 학습은 컴퓨터가 프로세스 또는 특정 프로그래밍 없이도 지속적으로 학습하고 데이터를 기반으로 예측하여 필요한 작업을 수행할 수 있는 능력을 의미한다. 기계학습은 인공 지능의 한 형태로 시스템이 독립적으로 새로운 시나리오에 적응할 수 있도록 한다. 표준국어대사전에서는 기계학습을 “경험의 결과로 나타나는 비교적 지속적인 행동의 변화나 그 잠재력의 변화, 또는 지식을 습득하는 과정”으로 정의한다.

기계학습을 주제로 하는 책들에서 공통적으로 나타나는 용어는 경험, 성능개선, 컴퓨터이다. 즉, 기계학습이란 특정한 응용 영역에서 발생하는 데이터를 이용하여 높은 성능으로 문제를 해결하는 컴퓨터 프로그램을 만드는 작업이라고 정의할 수 있다. 컴퓨터는 사람이 어려워하는 일을 쉽게 할 수 있다. 하지만, 반대로 사람이 어려움 없이 순식간에 할 수 있는 얼굴인식이나 분류의 문제에는 매우 서툴다. 이를 바탕으로 1950년대에 컴퓨터에 지능을 부여하는 기대감이 한껏 부풀어 올랐으며, 이러한 분위기를 통해 몇몇 사람은 ‘인공지능’이라는 단어가 나타났다.

사람들은 인공지능을 통해 사람이 쉽게 하는 일도 쉽게 해결할 수 있다고 생각했고, 이를 통해 사람이 어려워하는 체커게임이나, 의료진단, 광물탐사에서 상당한 성과를 거두기도 했다. 이후 사람들은 더 나아가 사람이 쉽게 수행하는 패턴인식 문제에 도전하기도 했다. 당시에는 사람이 인식할 때 사용할 것으로 보이는 지식을 추려 프로그램에 심는 지식기반, 규칙기반 기법을 사용했다. 하지만, 미리 심어놓은 지식에서 벗어나는 샘플이 생길 수 있으며, 사람이 일일이 규칙을 만드는 것이 매우 힘든일이었기 때문에 오래지않아 지식기반 방식에 분명한 한계가 있다는 사실이 드러났다.

이후, 인공지능의 주도권은 서서히 지식기반 방식에서 기계학습 방식으로 넘어가게 되었다. 기계학습은 데이터를 중심으로 하는 접근방식으로, 인식할 대상을 컴퓨터에 일일이 설명하려는 시도대신, 데이터를 충분히 많이 수집하여 입력하게 된다. 이러한 방식을 채택하며 기계학습은 인공지능을 구현하는 핵심기술로 발돋움 하였으며, 다양한 제품에 사용되고 있다.

기계학습은 사람의 학습을 본 따 만들었지만, 사람의 학습과는 차이점이 존재한다. 먼저, 사람은 자신의 주위에서 발생하는 신호 중 관심있는 것만 선별하여 능동적으로 학습하지만, 기계는 사람이 준비한 데이터를 입력받아 수학을 이용하여 최적의 매개변숫값을 찾아가는 수동적인 학습을 한다. 또한, 사람은 동료의 얼굴과 목소리, 나이나 성별에 따른 능력차이 등 여러 과업을 동시에 학습할 수 있지만, 기계는 특정한 응용영역의 특정한 과업 하나만을 학습할 수 있다.

---

28) 기계학습, 오일석, 한빛아카데미

기준	사람의 학습	기계 학습
학습 과정	능동적	수동적
데이터 형식	자연에 존재하는 그대로	일정한 형식에 맞추어 사람이 준비함
동시에 학습 가능한 과업 수	자연스럽게 여러 과업을 학습	하나의 과업만 가능
학습 원리에 대한 지식	매우 제한적으로 알려져 있음	모든 과정이 밝혀져 있음
수학 의존도	매우 낮음	매우 높음
성능 평가	경우에 따라 객관적이거나 주관적	객관적(수치로 평가)
역사	수백만 년	60년 가량

[표 36] 사람의 학습과 기계 학습 비교

기계학습은 지도방식을 포함한 다양한 기준으로 분류할 수 있다. 먼저, 지도방식에 따라 기계학습을 분류해보도록 하자. 과거에는 기계 학습 알고리즘을 크게 지도 학습과 비지도 학습으로 구분하는 것이 관례였다. 하지만 최근에는 강화학습이 중요해지면서 지도 학습, 비지도 학습, 강화 학습으로 구분한다. 또한, 한 단계 더 나아가 준지도 학습까지 포함하여 구분한다.

① 지도 학습(Supervised learning)

지도학습에서는 데이터가 입력과 출력 쌍으로 주어진다. 역에서 입력은 특징을 나타내는 일련의 데이터이며, 출력은 원하는 목푯값이다. 입력 데이터에 대해 출력이 이러해야 한다는 정보를 알려주기 때문에 '지도'라는 명칭을 사용한다.

지도학습의 예를 들어보면, 만약 Iris데이터베이스에 입력값 (5.1, 3.5, 1.4, 0.2), 출력 setosa라는 샘플이 주어진다고 가정하자. 이때, 각 입력값은 (꽃받침 길이, 꽃받침 너비, 꽃잎 길이, 꽃잎 너비)를 나타낸다고 하면, 본 입력값과 출력값은 꽃받침 길이가 5.1, 꽃받침 너비가 3.5, 꽃잎길이가 1.4, 꽃잎 너비가 0.2이거나 이와 유사한 샘플이 입력되면 setosa라는 부류로 분류하라고 지도하는 것이다.

지도학습으로 해결할 수 있는 문제에는 회귀와 분류가 있다. 회귀는 출력이 연속된 실수로 주어지지만, 분류는 몇 가지 부류로 주어지게 된다. 최근 딥러닝의 등장으로 기계 학습이 발전하면서 회귀와 분류 이외의 새로운 형태의 문제를 지도학습으로 해결하려는 사례가 증가하고 있다. 이러한 예로는 순위매기기, 영상변환이 있다.

② 비지도 학습(Unsupervised Learning)

비지도 학습에서는 지도 학습과 다르게 입력만 주어진다. 입력만 주어지고 목푯값이 없기 때문에 지도하지 않는 다는 의미에서 '비지도'라는 명칭을 사용한다. 비지도 학습의 데이터의 예시를 들어보면, Iris데이터베이스에 (꽃받침 길이, 꽃받침 너비, 꽃잎 길이, 꽃잎 너비)를 나타내는 입력값 (5.1, 3.5, 1.4, 0.2)이 주어지는 것이다. 그렇다면 부류 정보가 없는 상황에서는 어떠한 작업을 할까? 가장 기본적인 비지도 학습으로 해결할 수 있는 문제는 군집화를 들 수 있다. 군집화라나 유사한 샘플, 즉, 특징을 나타내는 공간에서는 가까이에 있는 샘플들을 같은 군집으로 분류하는 것이다. 군집화는 온라인 쇼핑몰에서 맞춤식 광고를 하는데 많이 사용되고 있다.

또 다른 문제는 특징 공간의 변환이 있다. 데이터가 다양해지면서 특징공간의 차원이 커지고, 데이터베이스가 커지게되면, 사람의 직관에는 의존할 수 없게 된다. 이러한 상황에서 비지도학습을 이용하면, 변환함수를 자동으로 알아낼 수 있다. 대표적인 특징 변환 알고리즘에는 매니폴드 학습, PCA, LLE 등이 있다.

③ 강화 학습(Reinforcement Learning)

강화학습도 지도 학습과 마찬가지로 입력과 목푯값을 주어 지도하는데, 목푯값의 형태가 지도 학습과는 다르다. 지도 학습에서는 샘플마다 목푯값을 주어주지만, 강화 학습에서는 연속된 샘플의 열에 목푯값을 하나만 주어준다. 따라서, 샘플 열에 속한 각각의 샘플에 목푯값을 배분하는 알고리즘을 추가적으로 요구한다. 최근 큰 주목을 받은 알파고도 지도학습과 강화학습을 혼합하는 전략을 사용했다.

④ 준지도 학습(Semi-supervised Learning)

지도학습에 사용하기 위해서는 데이터를 많이 수집해야한다. 하지만, 이렇게 데이터를 수집하는 일에는 비용이 많이 소요된다. 사실, 데이터를 수집하는 것보다 각각의 데이터에 목푯값을 부여하는데에 더 많은 시간이 들어가는 것이 사실이다. 목푯값은 사람이 일일이 데이터에 대해 설정해주어야 하는데, 준지도 학습은 소량의 데이터에만 목푯값을 부여하고, 부류 정보가 있는 데이터와 부류 정보가 없는 데이터를 함께 활용하여 성능 향상을 이루어 낸 것이다.

학습 유형에 따른 분류는 다음과 같다.

① 오프라인 학습

오프라인 학습은 데이터베이스 수집, 학습, 예측이라는 순차적인 절차를 충실히 따라 진행하게 된다. 즉, 수집과 학습을 오프라인으로 수행한 후, 완성된 프로그램을 현장에 직접 설치하여 예측 작업에 활용하는 것이다. 실제로 이러한 방식은 많은 현장에서 사용되고 있다.

② 온라인 학습

인터넷을 통해 많은 양의 데이터가 지속적으로 발생하는 것에 초점을 맞춘 것이 바로 온라인 학습이라고 할 수 있다. 온라인 학습은 오프라인으로 학습된 프로그램에 추가로 발생한 데이터를 이용하여 점증적으로 추가 학습을 진행, 성능을 조금씩 개선하는 것을 말한다.
이처럼 다양한 기준을 통해 분류할 수 있는 기계학습은 최근 딥러닝을 사용하며 큰 성과를 올리고 있다. 과거 아주 조금씩 향상되던 성능들은 딥러닝을 도입한 후 10년치에 해당하는 성능을 순식간에 증가시킬 수 있었던 것을 보면 이를 잘 이해할 수 있을 것이다.

최근 우리의 주변에도 과거 성능이 낮았던 음성인식과 같은 기술들이 빠르게 혁신되어 가는 것을 볼 수 있을 것이다. 바로 이러한 기술의 혁신의 배경에는 딥러닝이 있다고 해도 과언이 아니다. 또한, 성능이 증가함에 따라 많은 양의 계산이 발생하게 되었고, 이를 빠르게 처리하기 위해 GPU라고 불리는 병렬 처리기를 사용하기 시작했다.

(2) 시장 전망[29)]

기계학습은 인공지능의 한 분야로 컴퓨터가 학습할 수 있도록 하는 알고리즘과 기술을 개발하는 분야다. 빅마켓리서치 조사 결과, 머신러닝 시장은 2016년 미화 1억 2,900억 달러에서 2025년 3,980억 달러까지 성장할 것으로 예상된다.[30)] 또한, 기계학습은 벤처캐피털 투자, 사모펀드(PE) 자금조달, 합병·인수의 지적재산권(IP) 및 특허분야에서도 우위를 차지하고 있다. 또한, 다양한 분야의 전문가들이 데이터 이니셔티브, 비즈니스 인텔리전스 등을 위해 머신러닝을 적극적으로 사용 중이며 Amazon, Apple, Google, Tesla, Microsoft 등은 이미 머신러닝을 응용해 이윤을 내고 있다.

지금부터 기계학습 시장의 전망을 기계학습을 지원하는 데이터 사이언스 플랫폼을 사용하는 비즈니스 인텔리전스 및 분석시장의 전망과, 특허, 관련된 시장의 전망, 기계학습에 대한 인식과 응용현황을 통해 살펴보도록 하자.

머신러닝 기술 시장규모는 연평균 52.6%로 상승해 2025년까지 175억 7500만 달러에 이를 것으로 전망된다. 머신러닝을 활용한 인공지능 기술은 특히 헬스케어에서 도드라진다. 현재 사용자별 인공지능 활용 시장 분포를 살펴보면, 의료기관·의료서비스 제공자와 환자 등 헬스케어 분야에서 2025년까지 가장 많은 인공지능 기술사용 비중을 유지할 것으로 보이며, 타 사용자군에 비해 큰 폭으로 성장할 것으로 예상된다.

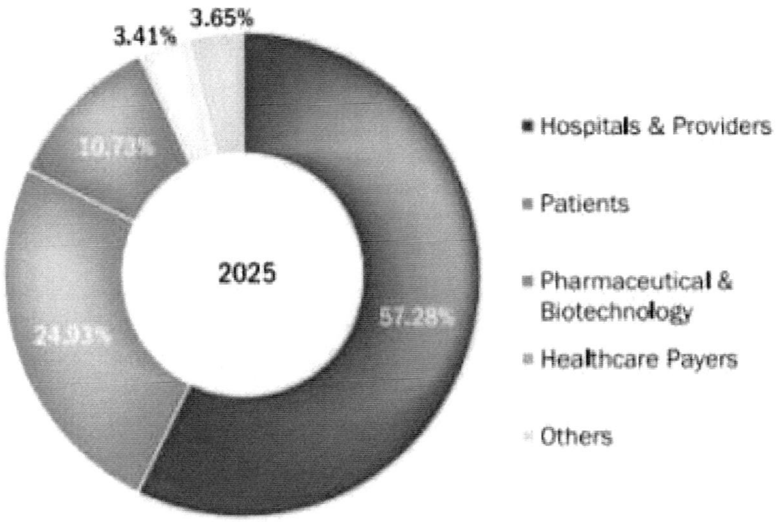

[그림 44] 머신러닝 사용자별 시장분포

헬스케어 관련 인공지능 기술은 머신러닝, 자연어처리, 상황인식 컴퓨팅, 컴퓨터 비전 등으로 세분화되어 있으며, 음성·영상·문자 등의 패턴 인식 등 다양한 기술과의 융합 활용 가능성이 커 머신러닝 기술의 성장이 크게 가속화 되고 있다.

29) 머신러닝 서비스시장 전망, 김경민, KOTRA, 2018.03.10
30) 다가올 미래, 머신러닝이 바꿀 삶의 모습, 시사주간, 2021.12.17

아울러 머신러닝 기능은 빅데이터 분야와의 결합을 통해 데이터의 감지·이해·실행·학습 등 다양한 기능을 수행하며, 의료영상 처리, 위험분석 진단, 신약 개발 등 헬스케어 산업 전 분야에 적용돼 큰 기여를 하고 있다. 이처럼 헬스케어 분야의 인공지능 활용 및 데이터 생산과 관련한 시장규모의 지속적인 확대로 세계 주요국의 인공지능·머신러닝 관련 정책적 지원과 기술개발 또한 날로 증대되고 있다.

[그림 45] 기계학습 시장 전망(2020-2024)

2020년 38.1%의 성장을 이룬 기계학습 시장의 CAGR은 39%까지 가속화될 전망이며 2024년에는 달러 성장률이 11.16%에 달할 것으로 전망된다. 또한, 그 중 북미의 기여가 38%일 것으로 예상된다. 2020년도에도 앞서나가는 기계학습 기술을 보유한 기업 중 미국 IBM이 244건으로 1위에 올랐고, 마이크로소프트와 인텔이 각각 126건과 108건을 출원해 뒤를 이었다.

기계학습은 갈수록 중요해질 전망이다. 빅데이터를 기반으로 컴퓨팅 성능이 높아지면서 고난도 학습이 가능해지면서 이를 서비스와 직접 연결하면 비즈니스 가치를 창출해 그 효과를 극대화할 수 있다. 예를 들어 사업자는 기계학습 기술을 사용해 판매 및 고객 데이터를 분석해 판매와 재고 프로세스를 최적하고, 판매비용을 낮출 수 있으며, 타깃 마케팅이 가능해져 판매량을 높일 수 있는 것이다.

이미 기계학습은 인간 생활과 밀접하다. 구글 검색 엔진을 통해 집을 나서기 전 목적지 정보를 얻고 호텔과 레스토랑을 결정할 수 있는데 미국 타임지는 구글을 '모든 사람과 모든 문제의 답안 사이의 거리를 마우스 클릭 한 번의 거리로 좁혔다'고 평가했다. 인터넷 검색은 네트워크상 데이터를 분석해 사용자가 원하는 정보를 제공하는데 그 과정에서 사용자 검색은 '입력'이고 검색 결과는 '출력'에 해당한다. 이를 이어주는 데 기계학습이 활용되며, 오늘날 검색 대상, 내용 등이 복잡해지면서 기계학습 기술 영향력은 더욱 커지고 있다.

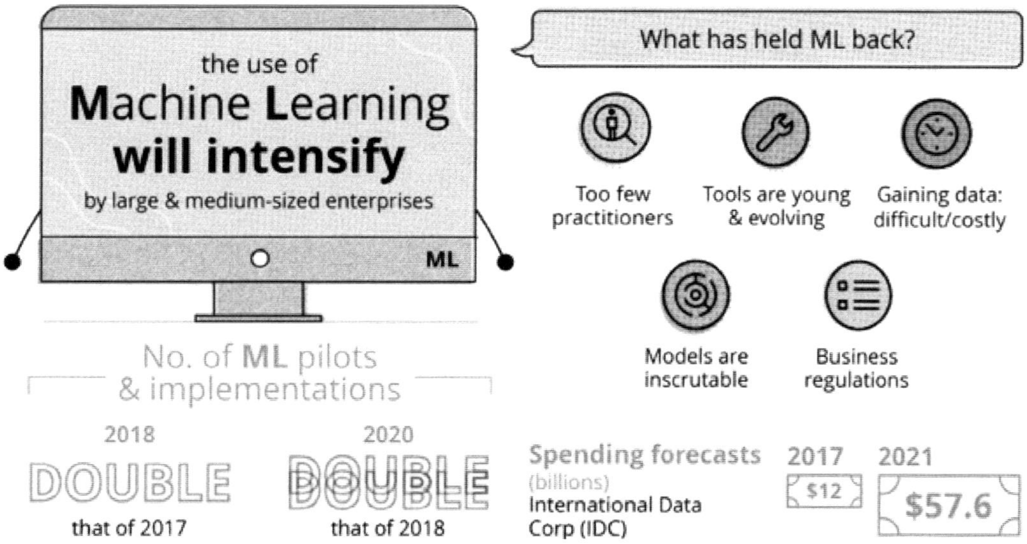

[그림 46] 딜로이트 글로벌의 기계학습 파일럿 및 구현 수 예측

31)

31) 출처: Deloitte Global

(3) 도입 사례

컨설팅업체 AT Kearney에서 조사한 바에 따르면 Amazon, Google, Microsoft 등의 테크 리더들은 이미 기계학습과 인공지능 분야에서 큰 폭의 이윤을 가져가고 있으며, 각각 기계학습을 차세대 제품으로 설계하고 이를 고객 경험을 개선하고 채널 판매 효율성을 향상시키는 도구로 사용 중이다.

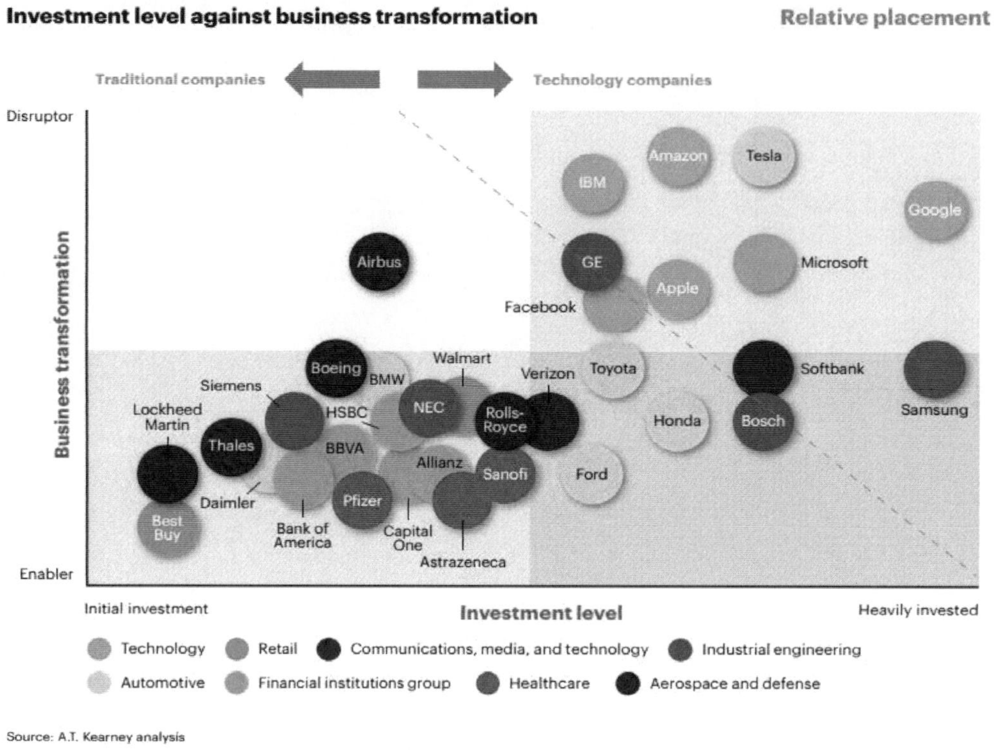

32)

[그림 47] 사업 변환에 대한 투자 수준

일본의 야스카와 전기(Yaskawa Electronics)는 장인의 기술을 2시간 만에 로봇에게 가르칠 수 있는 ‘실연 교시 기능’ 소프트웨어를 개발했다. 이는 센서가 작업자의 작업을 감지하여 데이터를 축적하고, 이에 따라 로봇이 움직임을 기억하고 학습 기능을 통해 스스로 연습을 반복한다.

또한 독일은 기계학습을 이용하여 자율 주행 자동차 내 주차보조 시스템 및 안전거리 확보 기능 등 ‘Autopilot’ 기능 적용을 확대했으며 중국의 기계학습 분야 선두그룹인 바이두는, 2014년 7월 빅데이터 연구소를 설립해 머신러닝 알고리즘, 데이터 구조알고리즘, 핵심 검색 기술, 예측 분석 분야의 빅데이터 적용하고 지능형 시스템 연구를 수행하고 있다.

32) 출처: AT Kearney(2018)

Amazon은 제품 추천, 대체 제품 제시, 사기 탐지, 메타 데이터 검증 및 지식 습득과 같은 사업의 주요 영역에서 고객 경험을 향상시키기 위해 기계학습에 의존하고 있다.

33)

[그림 48] Amazon의 기계학습 응용

일본 타이어 제조회사 브릿지스톤(Bridgestone)의 타이어 마모 탐지, 미국의 디지털 IT 제품 및 솔루션 제공회사 코그니전트(Cognizant)의 고객 이탈률 예측, 미국의 건물 에너지 관리 솔루션 회사 빌딩IQ(BuildingIQ)의 에너지 사용량 분석 및 최적화, 미국 자동차제조업체 BMW의 오버스티어링(Oversteering) 탐지, 일본 자동차제조업체 혼다(Honda)의 플릿(fleet) 데이터 분석 등 여러 분야에서 머신러닝이 적용돼 성과를 도출하고 있다.

그림 49 일본 브릿지스톤 머신러닝 적용

33) 출처: Amazon Web Service

나. 인공지능[34)]

인공지능은 컴퓨터를 기반으로 사람의 뇌가 수행하는 방법을 모사하여 여러 가지 지능을 구현할 수 있게 하는 기술로, 1950년대부터 관련 연구가 시작되어 발전해 온 인공지능은 기술적 한계에 부딪히면서 관련 연구 및 투자가 장기간 침체를 겪어 왔으나 최근 다시 글로벌 IT 업계의 화두로 등장하고 있다.

이는 인터넷의 보급과 다양한 형태의 비정형 데이터를 쉽게 수집하고 분석할 수 있는 빅데이터 처리 환경 조성에 따른 인공지능의 정확도 향상, 딥러닝의 등장, 부동 소수점 계산에 탁월한 GPU 컴퓨팅과 분산 처리가 가능한 클라우드 컴퓨팅의 도움으로 고속 병렬처리가 가능해지면서 대용량 딥러닝에 소요되는 시간이 대폭적으로 단축된 것이 배경으로 작용한 것이라고 할 수 있다.

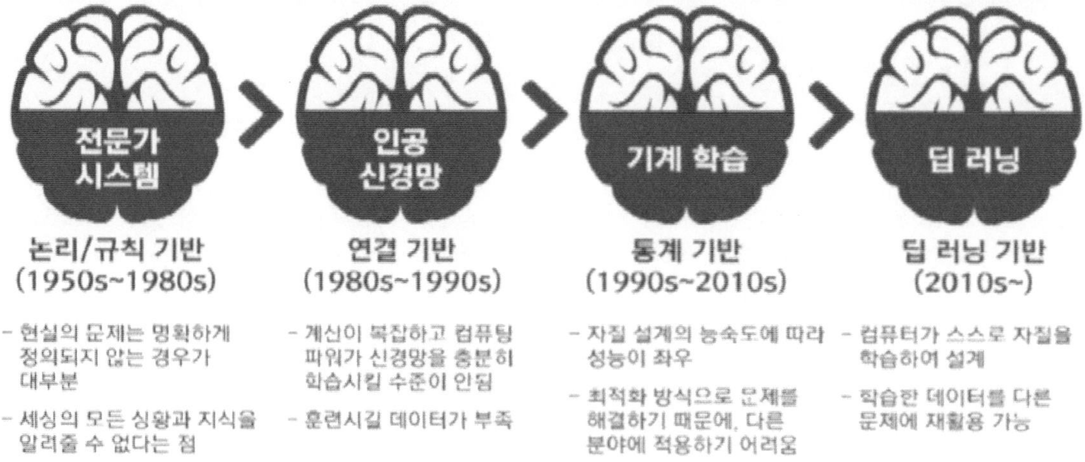

[그림 50] 인공지능의 발전과 역사

과거 인공지능은 기술적인 한계로 인해 인간의 인지와 사고능력에 미치지 못해 학술 연구 영역에서 벗어나지 못했지만, 앞서 살펴본 다양한 기술의 발전으로 인해 인간에 근접한 수준으로까지 발전하면서 상업적 활용 가능성이 증대되고 있다.

특히 인공지능은 다양한 분야에 적용될 수 있는 범용성이 높은 대표적인 융합기술로, 사회, 경제, 문화 등에 미칠 파급력이 매우 높아지고 있다. 이미 딥러닝 기반의 다양한 연구들이 여러 분야에 적용되면서 자율주행 차, 의료, 휴먼 인터페이스 등 다양한 분야로 빠르게 적용되고 있다.

34) AI First, AI Everywhere로 전개되는 인공지능, 정보통신기술진흥센터

1) 기술 개요[35)]

기술 연구 및 투자의 장기간 침체가 있었던 인공지능(AI)은 최근 딥러닝 기반 기술의 발달 및 기존 기술과의 결합 등을 통해 산업 전반에 적용 가능한 수준으로 발전하고 있다.

인공지능은 인간의 지능(인지, 추론, 학습 등)을 컴퓨터나 시스템 등으로 만든 것 또는 만들 수 있는 방법론이나 실현 가능성 등을 연구하는 기술 또는 과학으로 인공지능의 목표에 따라 4가지, 실제 사고해결 유무에 따라 2가지로 구분할 수 있다.

① 인공지능의 목표에 따른 분류

인간과 같은 사고 시스템은 1985년 Haugeland와 1978년 Bellman의 정의에 의한 인공지능으로, 이론적으로 인간처럼 생각하는 기계를 만들려면 우선 인간의 사고 작용을 연구해야 하고, 이로부터 그럴듯한 가설이 성립되면 프로그램을 통해 실현할 수 있다는 것을 주장하는 분야이다.

다음으로 합리적 사고 시스템은 1985년 Charniak과 McDermott, 1992년 Winston의 정의에 의한 인공지능의 목표로, 인공지능의 목표를 이론적이 아닌 합리적으로 사고하는 시스템이라고 정의하는 분야이다. 합리적 사고 시스템에서는 정확한 추론과정을 매우 중요시 하는데, 이는 합리적으로 행동한다는 것은 어떤 목표를 달성하기 위해 논리적인 결론에 도달하도록 추리해 나가야 하기 때문이다.

인간과 같이 행동하는 시스템은 1990년 Kurzweil과 1991년 Rich과 Knight의 정의에 의한 인공지능으로 1950년 Turing이 제안한 튜링 테스트를 통해 지능의 작용 과정에 대해 매우 만족스럽게 설계한 최초의 프로그램으로 컴퓨터는 인간에게 질문함으로써 그의 테스트 결과를 여러 경로를 통해 보내주게 된다는 것을 주장하는 분야이다.

마지막으로, 합리적인 행동 시스템은 1990년 Schalkoff와 1993년 Lugar와 Stubblefield의 정의에 의한 인공지능의 목표로, 합리적으로 행동한다는 것은 주어진 확률 정도가 있을 때 어떤 목표를 달성하기 위해 행동하는 것을 의미한다.

	이론적(ideal)	합리적(rational)
인간의 사고작용 (thinking)	인간과 같은 사고 시스템 (systems that think like humans)	합리적 사고 시스템 (systems that think rationally)
행동 (behavior)	인간과 같은 행동 시스템 (systems that act like humans)	합리적 행동 시스템 (systems that act rationally)

[36)]

[그림 51] 인공지능의 목표에 따른 분류

35) 인공지능(AI) 개요 및 기술 동향, 금융보안원, 2016.08.26
36) 인공지능 기술 동향 및 발전 방향, 조영임, 정보통신기술진흥센터, 2016.07

② 인공지능의 사고 해결 유무에 따른 분류

최근 인공지능의 사고 해결 유무에 따라 약한 인공지능(Weak AI)과 강한 인공지능(Strong AI) 2가지로 구분할 수 있다.

약한 인공지능	어떤 문제를 실제로 사고하거나 해결할 수 없는 컴퓨터 기반의 인공적인 지능을 만들어 내는 것에 대한 연구이며, 학습을 통해 특정한 문제를 해결
강한 인공지능	실제로 사고하거나 해결할 수 있다는 점에서 약한 인공지능과 차이가 있으며, ①인간의 사고와 같이 컴퓨터 프로그램이 행동 및 사고하는 인간형 인공지능과 ②인간과 다른 형태의 사고능력을 발전시키는 컴퓨터 프로그램인 비인간형 인공지능으로 구분

37)

[표 37] 인공지능의 사고 해결 유무에 따른 분류

위처럼 분류할 수 있는 인공지능이 다시 재부상 하게 된 배경에는 최근 빅데이터 발달, 정보처리(연산, 저장) 능력의 향상, 딥러닝 알고리즘의 향상, 클라우드 기반 환경 등을 들 수 있다. 이러한 기술의 발달로 인해 인공 지능의 학습, 추론, 인지 기술을 발달시킬 수 있는 환경이 조성됨에 따라 인공지능은 재부상하기 시작했다.

인공지능은 전산신경과학(Computational Neuroscience), 로봇틱스 인지로봇 공학(Robotics) 등 다양한 학문 영역에 걸쳐 있고 정형화된 기술 분류 체계는 아직 미흡하지만, 최근 '패턴인식', '머신러닝', '딥러닝' 등이 인공지능 관련 기술 중 주요 기술 분야로 언급되고 있다. 인공지능은 일반성, 방대성 등 지식의 특성뿐만 아니라 일반 소프트웨어 시스템과 달리 추론 기능 등의 특성을 가지고 있다.

최근 딥러닝의 등장으로 인해 인공지능 또한 새로운 국면을 맞이했다. 그렇다면 도대체 딥러닝이라는 것은 무엇을 말하는 것일까? 딥러닝은 인간의 신경망 구조를 모방한 것으로, 초고용량 학습 알고리즘의 특징을 통해 기존 알고리즘과 달리 고성능을 발휘하는 기법이다. 딥러닝은 특징 추출(Feature Extraction)을 위한 전처리 과정(pre-processing) 을 전체 학습 프로세스에 포함하고, 영상 데이터와 같이 차원수가 크고 복잡한 데이터의 경우 전처리 과정에서 손실될 수도 있는 정보를 자동으로 추출하며, 높은 수준의 추상화 작업(Abstraction)에 효율적이어 시뮬레이션 크기를 늘릴수록 대량의 데이터를 흡수하는 능력이 좋아지는 특징을 가지고 있다.

인공지능 등 학습에 있어서 나타나는 주요 문제점 중 하나인 오버피팅은 딥러닝 기술에서 강력한 형태로 방지 하고 인공지능의 연구 개발을 가속화하는 중요한 계기를 마련했다. 오버피팅은 과다적합이라도고 하며, 만들어진 모델의 성능이 학습데이터(training set)에서는 좋지만, 새로운 데이터 (test data)에서는 좋지 않은(혹은 일반화되지 않은) 경우를 의미한다.

37) 출처: 인공지능(AI) 개요 및 기술 동향 (2016)

특성	내용
일반성	중요 성질을 공통적으로 가지고 있는 상황을 그룹화 함
방대성	중요 성질이 공통적으로 형성되기 이전의 기초자료는 매우 방대함
부정확성	현실문제에서 주어지는 정보가 부정확하며, 그로 인해 표현 역시 불명확함
지식 이용	소프트웨어는 자료나 정보를 사용하는 반면 인공지능은 인간과 같은 지식을 이용
추론 기능	적은 자료로 해답을 찾거나 많은 자료에서 공통점을 찾아내는 것 등은 인간의 사고과정에서 발생하는 추론기능과 같음
휴리스틱 탐색	경험적인 방법의 원리를 이용하여, 방대한 양의 탐색영역에서 최적의 해를 구하고자 일정한 규칙에 근거하여 해를 찾는 방법인 휴리스틱 탐색 (heuristic search) 기능 제공
출력효율성 제고	입력정보가 비교적 완전 혹은 완벽하지 않더라도 결과물을 생성하는 기능 [38]

[표 38] 인공지능 기술의 특성

일반성 및 유연성 등 수많은 상황을 동시에 처리하는 인간의 뇌(지능)를 기존의 컴퓨터 구조로 구현하는 것은 매우 어려운 문제이며, 인공 지능에서 '학습'을 효율적으로 수행하기 위한 기술(알고리즘 등)들이 복잡도(complexity)가 너무 높은(혹은 낮은) 모델의 학습, 학습데이터와 현실 세계의 데이터와의 차이 등으로 인해 오버피팅의 문제가 발생하게 된다. 딥러닝은 제한된 볼츠만 머신 (Restricted Boltzman Machine, RBM), Dropout 형태 등의 효율적 학습 형태의 알고리즘을 통해 신경망의 일반화 능력 최대화 등으로 오버피팅을 최소화하고 있다.

① 제한된 볼츠만 머신

제한된 볼츠만 머신은 기존 볼츠만 머신에서 볼 수 있는 유닛(visible unit)과 은닉 유닛(hidden unit) 간 연결망의 효율성을 고려하여 제한 을 둔 모델로써 두 개의 층을 구성하여 신경망 학습의 효율성을 높였다.

38) 출처: 인공지능 기술과 산업의 가능성, 석왕헌, 이광희, ETRI, 2015.10.30

< 볼츠만 머신 구조의 예 >　　　　　　< 제한된 볼츠만 머신 구조의 예 >

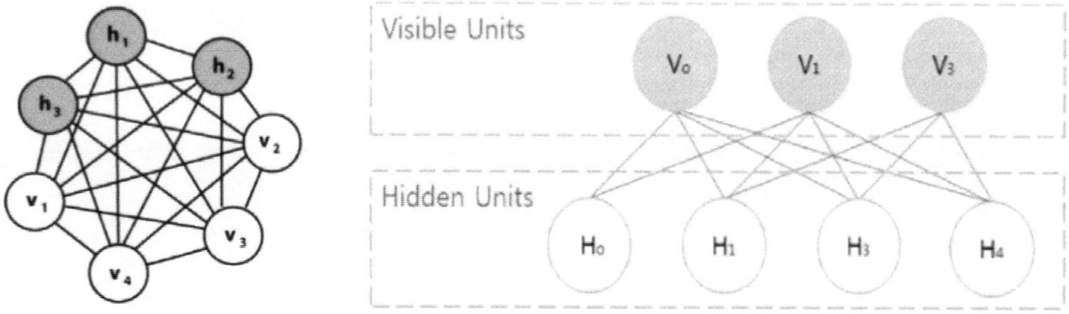

[그림 52] 볼츠만 머신

② Dropout

Drop-Out은 학습단계에서 심층신경망(Deep Neural Network)의 모든 뉴런을 사용하지 않고 랜덤하게 보통 50% 정도만 사용하며 여러 개 신경망의 앙상블 효과[39]를 통해 오버피팅을 줄일 수 있는 방법이다.

< 일반적인 심층신경망의 구조 >　　　　　　< Dropout이 적용된 심층신경망의 구조 >

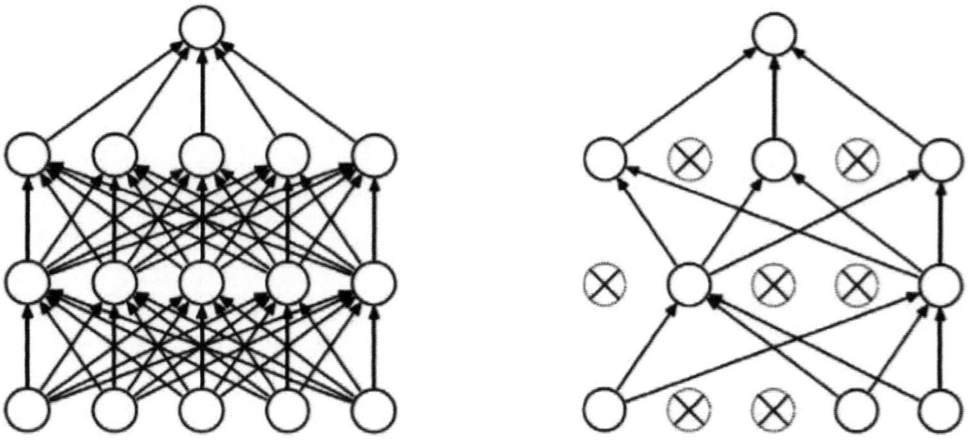
[40]

[그림 53] Dropout

39) 학습 알고리즘들을 따로 사용하지 않고 다수의 학습 알고리즘을 유연한 구조로 만들어 더 좋은 성능을 얻는 효과

40) 출처: Nitish Srivastava, Georey Hinton et al., Dropout: A Simple Way to Prevent Neural Networks from Overfitting, Journal of Machine Learning Research 15(2014), p.1930, 2014.6.14.

2) 산업 동향

인공지능은 21세기의 핵심 기술로 주목받고 있으며, 기존산업 내 요소의 자동화와 지능화를 통하여 기존산업의 혁신을 가져오고 있다. 인공지능은 다양한 산업과 시너지를 창출하며 전기, 인터넷과 같이 산업 전반에 걸쳐 영향을 주는 일반목적기술(GPT, general purpose technology)로 인정되고 있다. 인공지능 자체는 기술이므로 광범위한 정의에서의 인공지능산업은 인공지능을 생산·유통·활용하는 소프트웨어, 하드웨어, 서비스 산업을 지칭한다.

인공지능의 가치사슬은 크게 데이터 구축(원자재), 데이터 전처리(가공), 인공지능 개발(제조), 인공지능 적용(판매)로 구성되어있다. 인공지능 스타트업과 빅테크 기업들은 이러한 과정의 일부 혹은 전체과정에 관여하여 매출을 창출한다.

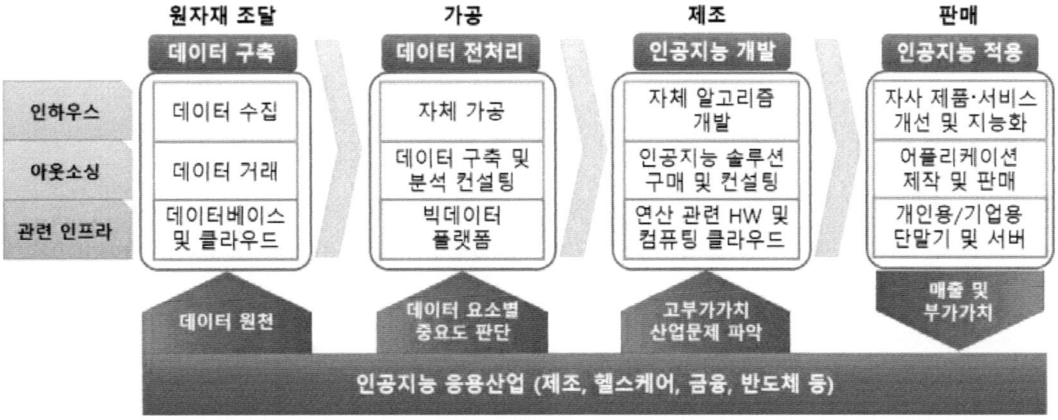

[그림 54] 인공지능산업 가치사슬

① 데이터 구축

데이터 구축 단계는 학습을 위한 데이터를 직접 수집하거나 외부업체를 통하여 확보하는 단계이며 관련 인프라는 데이터베이스 및 클라우드가 해당된다.

② 데이터 전처리

데이터 전처리 단계는 수집된 데이터를 1차적으로 분석·가공하여 유의미한 데이터를 추출하는 단계로 관련 인프라는 데이터를 처리·가공할 수 있는 빅데이터 플랫폼이 해당된다.

③ 인공지능 개발

인공지능 개발 단계는 적용분야 및 데이터에 적합한 형태로 인공지능을 설계하고 학습시키는 과정을 뜻하며, 관련 인프라로는 연산용 HW, 클라우드 컴퓨팅, 인공지능 개발용 도구 등이 있다.

④ 인공지능 적용

인공지능 적용 단계는 인공지능을 적용한 HW/SW/서비스를 활용하여 부가가치를 창출하거나 판매하는 단계다.

인공지능 응용산업별 비중은 광고&컨텐츠와 금융의 비율이 높고 헬스케어, 자율주행 등이 주목받고 있다.

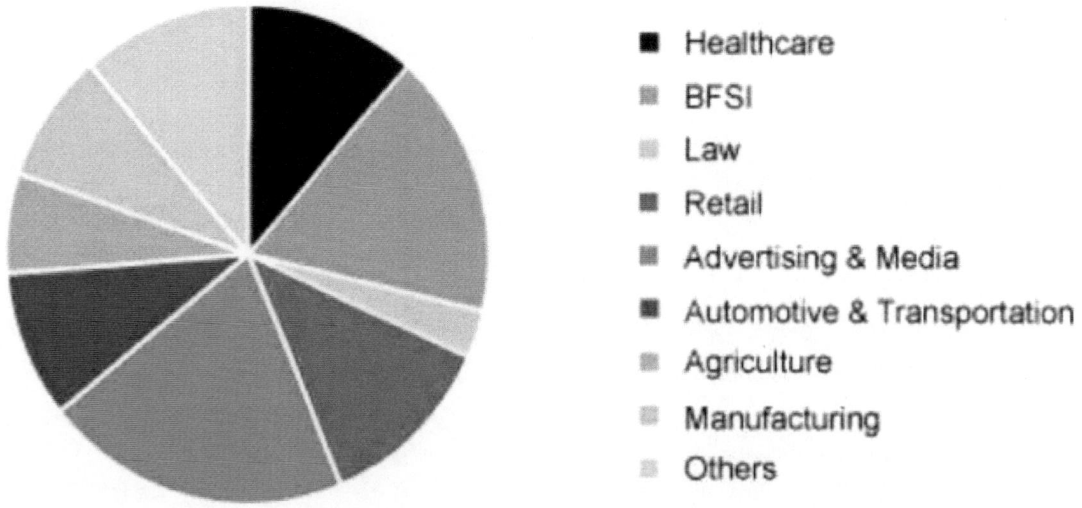

[그림 55] 2019년 인공지능관련 매출 응용산업별 비중

① 컨텐츠 및 광고

컨텐츠 및 광고에서는 인공지능을 컨텐츠 추천(틱톡, 넷플릭스 등), 상품 추천(네이버 쇼핑, 아마존 등) 등에 응용하고 있다.

② 금융(BFSI)

금융에서는 인공지능을 유망기업(주식) 발굴, 투자 어드바이저, 은행서비스 자동화 등에 응용하고 있다.

③ 헬스케어

헬스케어에서는 인공지능을 병리학, 영상의학, 개인건강관리, 의약품개발 분야에 걸쳐 주로 응용하고 있다.

④ 모빌리티

모빌리티에서는 자율주행차 외에도 주행이상 탐지 등 다양한 자동차 관련 인공지능 기술이 개발되고 있다.

⑤ 제조 및 유통

제조 및 유통에서는 인공지능이 스마트팩토리와 스마트제품 등에 다양하게 응용되고 있으며 신제품 설계에도 활용되고 있다.

⑥ 기타

위에서 살펴본 분야 외에는 인공지능을 환경문제(예: 기후변화, 희귀종보호)나 범죄예방(예: 지능형 CCTV) 등 사회문제 해결에도 적용하고 있다.

현재 인공지능은 기존 제품·서비스에 적용되어 편의성을 개선하는 형태(예: 삼성전자의 음성

인식 플랫폼 빅스비)로 부가가치를 창출하나 많은 투자와 기대대비 효용성이 떨어지는 것으로 평가되고 있다. 이는 아직 인공지능이 강인공지능[41]에 도달하지 않았기 때문으로, 산업에 적용될만한 수준의 인공지능을 만들기 위해서는 데이터 수집·가공, 알고리즘 개발에 많은 전문가와 자원 투입이 필요하다. 이때, 효과적인 인공지능 개발을 위해서는 실제 응용산업에 대한 지식(어떤 데이터가 유효한지, 산업 내 어떤 문제를 해결하는 것이 가능한지/중요한지)이 필요하다.

41) 강인공지능(Strong AI): 사람처럼 스스로 데이터를 찾아 학습하고 행동하는 AI를 뜻하며 현재는 사람이 직접 데이터를 수집·가공하고 알고리즘을 짜 넣어 학습시키기 때문에 약인공지능(Weak AI)으로 분류

3) 기술 동향[42]

기계학습 분야에서는 오랫동안 데이터로부터 특정 업무를 수행하기 위한 정보를 학습시키려는 연구들이 진행되어왔다. 그 결과, 다양한 학습모델과 알고리즘들이 개발되었다. 하지만, 2000년대 후반부터 딥러닝 기술이 발전하며 다양한 벤치마크 테스트에서 다른 방법들을 압도하는 높은 성능을 보이며 응용영역을 넓혀가고 있다. 딥러닝은 인간 뇌의 정보처리 과정을 수학적인 모델링을 통해 모사한 것으로, 주로 깊은 신경망을 구현한다. 따라서 복잡하고 변화가 많은 응용 분야에 탁월한 성능을 보인다.

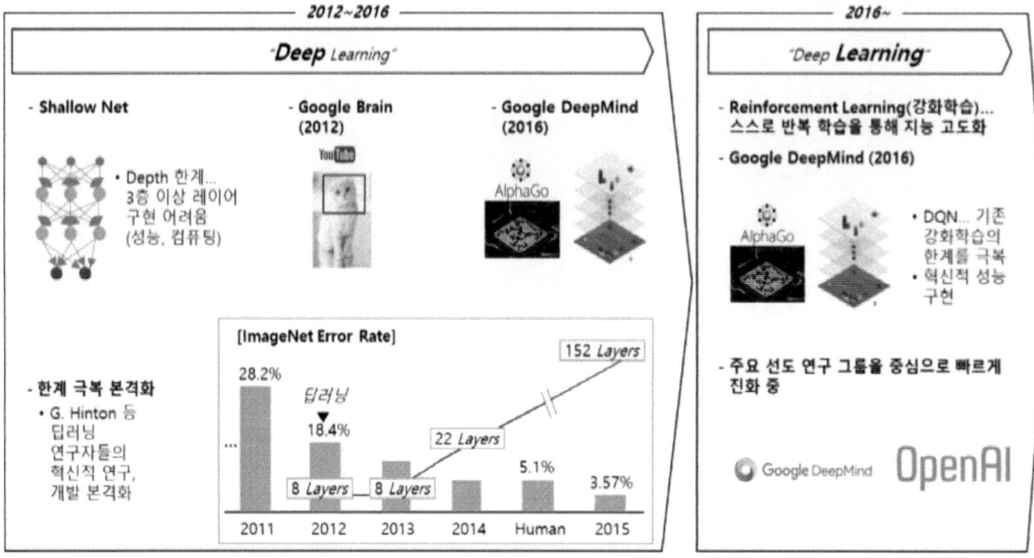

<자료> LG경제연구원, 2017. 10.

[그림 56] 딥러닝의 경쟁 핵심 변화

또한 강화학습이 등장하며 학습 방식이 기존과 많이 달라졌다. 기존 기계학습의 경우는 사람에 의해 학습할 데이터가 정해져 주어지는 정적인 것이라면, 강화학습은 인공지능 자체가 현재의 환경에서 보상을 극대화하기 위해 필요한 데이터를 수집해 가며 학습을 진행하는 동적인 것이라고 할 수 있다. 강화학습 기반의 인공지능은 이러한 특징을 바탕으로 빠르게 발전해 왔지만, 이 또한 분명한 한계는 있다. 강화학습은 보상을 극대화하는 선택을 하지만, 실은 이 보상 함수를 설계하는 것이 매우 어려운 일이다. 따라서 최근 강화학습의 주요 연구들은 Multi Agent, Meta Learning, Continuous Action, Imitation Learning 등 한계를 극복하기 위한 다양한 방식을 연구하고 있다.

AI한계 극복 신기술은 기존 AI기술을 개선하는 수준에서 벗어나 혁신적인 AI 플랫폼과 서비스를 개발, 글로벌 시장을 선도하는 걸 목표로 한다. 뇌 학습 기전, 기억 기전, 의식 기전 등을 응용한 '브레인 인스파이어드(Brain inspired)' AI가 그것이다. 또 실세계 데이터를 기반으로 학습 및 추론해 의사결정을 도출하고 그 이유를 사람이 이해가능한 방식으로 제시하는 '설명 가능한 AI' 개발에도 주력한다.

42) 인공지능 기술 동향, IITP

설명 가능한 인공지능은 신뢰할 수 있는 인공지능이라는 용어와 혼용되기도 하는데, 신뢰할 수 있는 인공지능은 6가지 핵심 요소에 기반하여 인공지능 활용 아이디어 구상에서 설계, 개발, 배포 및 운영에 이르기까지 구축 라이프사이클 전반에 걸쳐 거버넌스와 규정 준수를 요구한다. 기본적으로 인공지능 거버넌스는 위의 모든 단계를 포괄하며 기술, 프로세스 및 직원 교육 등 변화 관리 전반에 걸쳐 작용한다. 여기에는 위험 평가, 통제 메커니즘 및 관련 규정 준수를 요구하는 것이 포함된다. 이는 기업과 다양한 이해 관계자가 인공지능의 개발과 활용을 위한 배포에 있어서 윤리적이고 신뢰할 수 있는지 확인하는 수단이 된다.

신뢰할 수 있는 인공지능을 논의할 때 해석 가능성(Interpretability)과 설명가능성(Explainability)이라는 두 용어가 자주 사용되며, 때로는 동일한 의미로 쓰이기도 한다. 일반적으로 설명가능성은 해석가능성 개념을 포괄하는 상위 개념으로 간주 한다. 해석 가능성은 인공 지능 전문가 와 엔지니어에게 강력한 기술적, 공학적 투명성을 제공하는 개념이며, 설명가능성은 고객, 의사결정자 등 비전문가들도 충분히 이해할 수 있는 인간의 언어로 표현된 논리적 설명을 포함하는 더 넓은 개념을 의미한다. 또한 인공지능이 사회에 미치는 영향까지 고려하여 윤리와 법적 문제까지도 다룬다. 기술적인 관점에서 해석가능성은 엔지니어의 논리적 맥락에서 올바른 입력-출력 관계의 투명성을 의미한다.

설명가능성은 인간의 자연어를 사용하여 최종 사용자와 의사 결정자에게 설명을 전달할 수 있다. 즉, 해석가능성은 인공지능 기반 의사 결정 시스템의 작동 원리에 대한 이해와 관련된 것이고, 설명가능성은 특정 결정이 내려진 이유에 대한 비기술적인 설명으로 이유를 제공하는 시스템의 능력과 관련이 있다. 또한, 인공지능 블랙박스 모델의 수동적 또는 능동적 특성에 맞춰 의미를 부여하기도 한다. 해석가능성은 수동적 특성을 가진 모델이 인간 전문가에게 의미를 부여하는 능력으로 정의할 수 있다. 예를 들어, 모델은 특정 아키텍처 계층의 가중치에 따라 의사 결정의 방향이 바뀌는 수동적인 특성을 갖고 있다고 볼 수 있다. 한편, 설명가능성은 모델의 능동적인 특성으로 볼 수 있으며 기본 메커니즘을 명확하게 하기 위해 모델이 자연어를 사용하여 사용자에게 자신을 설명하는 총체적인 능력을 의미한다.

모델 설명 방법에는 크게 두 가지 유형이 있다. 첫 번째 유형은 의사 결정 트리 및 랜덤 포레스트와 같이 특정 모델에 적용되는 'Model-specific' 방법이 있고, 다음으로는 블랙박스 모델을 포함한 모든 유형의 머신러닝 모델에 적용할 수 있는 'Model-agnostic' 기법이 있다. 첫 번째 설명 도구는 결과를 해석하기 위해 알고리즘의 내부 작동이 어떻게 이루어지고 있는지를 다루고 있다. 두 번째 방법은 블랙박스 내부모델을 탐지하거나 결과를 설명하는 방식으로 입력과 결과물과의 관계를 분석하는 방법이다. 이러한 모델 종류에 관계없이 적용할 수 있는 Model-agnostic 방법은 설명 범위에 따라 '로컬' 해석과 '글로벌' 해석으로 분류할 수 있다.

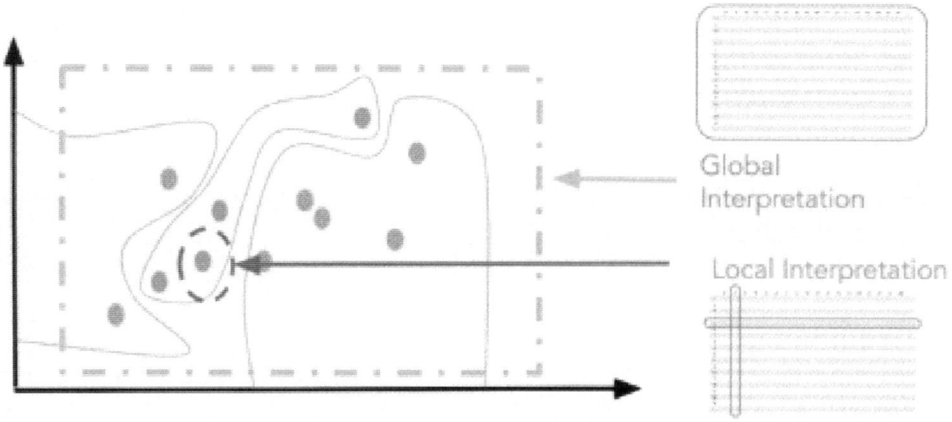

[그림 57] 모델 해석가능성의 범위

로컬 해석가능성은 모델 결과물에 대한 개별 데이터의 영향을 평가하는 것을 의미하며, 입력데이터 한 건에 대한 인공지능 모델 결과물 간의 관계를 파악할 수 있다. 반면 글로벌 해석가능성은 전체 데이터 차원에서 모델에 평균적으로 미치는 영향이며, 입력데이터와 모델 결과물 간의 전반적인 관계를 해석할 수 있다.

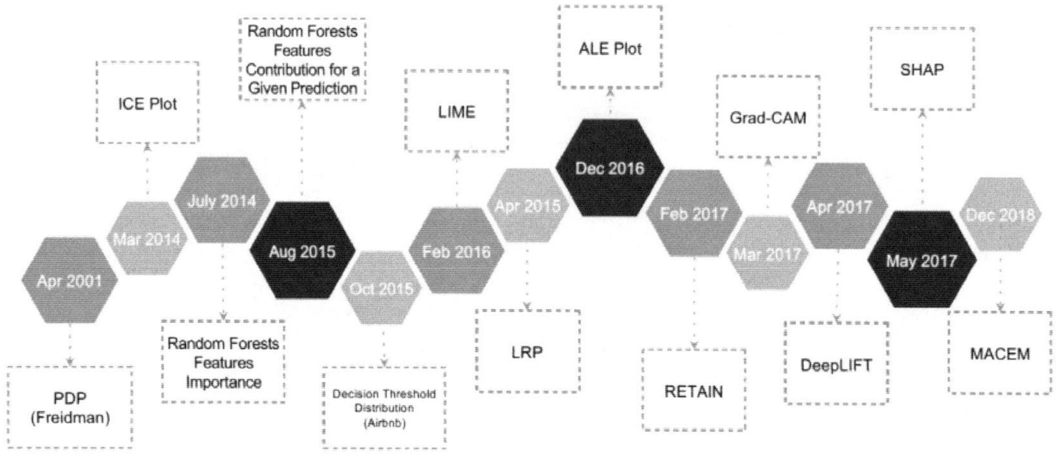

[그림 58] 인공지능 모델 설명성 기법의 발전단계

모델 설명성 기법의 비교적 짧은 약 20여 년에 걸친 발전단계에서 2016, 17년도에 개발된 LIME(Local Interpretable Model Agnostic Explanations)과 SHAP(Shapley Additive Explanations) 이 로컬 해석방법의 대표적 도구로서 특정 결정에 대해 부분적으로 설명을 제공하고, 전통적인 방법인 SA(Sensitivity Analysis)와 2000년대 초반에 개발된 PDP(Partial Dependency Plot)는 사용자에게 전체 모델의 동작을 이해할 수 있도록 도움을 주는 글로벌 해석 도구이다.

① LIME

LIME은 모델이 현재 데이터의 어떤 영역을 집중해서 분석했고 어떤 영역을 분류 근거로 사용했는지 알려주는 설명성 도구이다. 이러한 알고리즘을 처음 개발한 사람은 마르코 툴리오 히베이루(Marco Tulio Ribeiro)와 사미르 싱(Sameer Singh), 카를로스 게스트린(Carlos Guestrin)이며 지금도 깃허브(GitHub) 등 온라인 공유사이트를 통하여 튜토리얼 등을 제공하며 활발히 활동하고 있다. 이 도구의 가장 큰 장점은 모델의 종류나 학습 방법에 관계없이 직관적으로 적용할 수 있는 유용한 방법이라는 것이다. 반면 결정 결과에 대한 불확실성도 있다. 특정 데이터 포인트에서의 결정 경계를 확정 짓는 방식이 비결정적이므로 LIME 알고리즘을 실행시킬 때마다 결과가 매번 달라지는 것을 볼 수 있다. 또한 데이터 하나에 대해 설명을 하기 때문에 모델 전체에 대한 일관성 있는 특징을 보여주지 못하는 단점이 있다.

② SHAP

SHAP 은 미국의 수학자이며 경제학자인 로이드 샤플리(Lloyd Stowell Shapley)가 정립한 이론을 기반으로 입력데이터의 컬럼(피처) 간 독립성을 근거로 덧셈을 가능하게 하는 도구이다. 샤플리 값(Shapley value)은 전체 성과를 창출하는 데 각 참여자가 얼마나 공헌했는지를 수치로 표현할 수 있는데 개인의 기여도는 전체에서 그 사람의 기여도를 제외했을 때 전체 성과의 변화 정도로 나타낼 수 있다는 아이디어에서 찾을 수 있다. LIME과 달리 SHAP는 결정적인 특성을 갖고 있다. SHAP을 매회 실행시켜 계산할 때마다 동일한 결과를 볼 수 있어 해석상 안정성이 있다. 하지만 샤플리 값을 구하기 위하여 모든 컬럼(피처)을 순서대로 계산하기 때문에 컬럼 갯수와 데이터양이 증가할수록 데이터 수의 제곱에 비례하여 계산량이 늘어나는 단점이 있다.[43]

43) 인공지능 신뢰성을 높이는 Trustworthy AI, 딜로이드 안진회계법인, 2022.02

다. IoT

1) 기술 개요[44][45]

사물인터넷(IoT)은 제조, 에너지, 금융 등 산업 전반에서 걸쳐 다양 하게 활용되고 있으며, 초연결사회(Hyper-Connected Society)로 나아가기 위한 수단으로 주목받고 있다. 국제표준화 기구인 ITU-T에서는 사물인터넷을 '정보통신기술을 기반으로 다양한 물리적 또는 가상의 사물들을 연결하여 진보된 서비스를 제공하기 위한 글로벌 서비스 인프라'라고 정의하고 있다. ITU는 2005년에 IoT 개념을 처음 정립하였으며, 'IoT를 언제, 어디 서나, 어떤 것이든 연결시켜주는 기술'이라고 정의했다.

이처럼 정의된 IoT의 개념은 사물통신(M2M)3), IoT, 만물인터넷(IoE, Internet of Everything)을 거쳐 소물인터넷(IoST, Internet of Small Things), 만물제어(AtO, All to One)로 확장되고 있다.

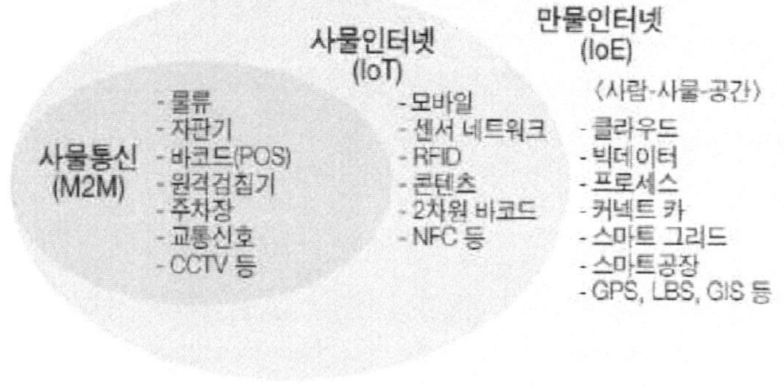

[그림 59] IoT 개념도

① 소물인터넷(IoST)

소물인터넷은 사물에 통신모듈을 탑재하여 소량의 데이터를 주고받을 수 있도록 구현된 것으로, 저성능 기기가 소량 데이터 전송에 특화되어 단순 정보(온도, 습도, 무게 등)를 측정해 무선네트워크로 데이터를 전송한다. 해외에서는 저전력 장거리 통신기술(LPWA, Low Power Wide Area)라고 불리며, 기존의 무선 네트워크(Bluetooth, Wi-Fi, Z-wave, Zigbee 등)와 달리 저전력 설계로 오랫동안 사용이 가능하고, 넓은 커버리지를 충족시켜야 한다.

소물인터넷은 저비용, 저전력, 장거리 네트워크가 가능하며, 고가의 중계기가 필요 없고 전력소모가 매우 적기 때문에 상시전원 없이 배터리만으로 최소 2년 이상 사용 가능하다는 장점이 있다. 소물인터넷의 이용 사례로는 도난방지 자전거, 검침(수도, 전기, 가스 등), 조명제어 등이 있다.

---

44) 사물인터넷(Internet of Things) 산업 동향, 금융보안원, 2016.10.20

45) 사물인터넷 산업의 시장 및 정책 동향, iitp

② 만물제어(AtO)

만물제어는 IoT 플랫폼들을 하나로 묶어서 통제하는 것으로 모든 사물, 사람 등의 연결을 유기적, 지능적, 자율적으로 통제하여 데이터를 효율적으로 사용할 수 있도록 도와주는 시스템을 말한다. 만물제어는 공통의 디지털 네트워크로 연결되어 서로 정보를 주고받을 수 있으며, 스스로 제어가 가능하다. 만물제어의 이용사례로는 스마트시티(냉난방 관리, 교통 혼잡 예방, 엘리베이터 동선 분석 등), 재난 구조 등이 있다.

미국의 경우 '스마트 아메리카 챌린지' 프로젝트를 통해 전력, 의료, 교통, 제조, 항공 등 7개의 분야를 IoT로 연결하여 제어하는 시스템 구축 계획을 세웠다. 이처럼, 다양한 이름으로 불리며 4차 산업혁명에서 큰 주목을 받고 있는 2017년 주요 기관들이 발표한 ICT 기술 및 이슈 전망에서도 사물인터넷은 4차 산업혁명의 근간이 되는 기술들과 함께 다수 선정되어 중요성이 부각되었다.

구분	국내						해외						
	IITP	KT-KISA	NIA	SPRi	TTA	ROA	Gartner	IDC	IHS	Forrester	Juniper	Ericsson	Deloitte
자율주행차/커넥티드카	●	●		●	●	●					●	●	●
가상현실/증강현실	●	●	●	●	●		●	●	●	●	●	●	
사물인터넷	●	●	●	●	●	●	●	●	●	●		●	
인공지능	●	●	●	●	●	●	●	●	●	●	●	●	● [46]

[그림 60] 주요기관들의 2017년 ICT 기술/이슈 전망

그렇다면 이처럼 중요한 사물인터넷을 현하기 위해서는 어떠한 기술들이 필요할까? 사물인터넷 구현을 위해 대표적으로 필요한 기술로는 스마트 디바이스, 진화된 네트워크, 클라우드 컴퓨팅, 빅데이터 분석이 있다.

이에 대해 좀 더 세세하게 살펴보도록 하자.[47]

① 스마트 디바이스

스마트 디바이스란 각종 센서와 네트워크 기능이 탑재된 디바이스로, 이 센서들은 다양한 정보를 생성한다. 간단히 스마트 워치를 생각해보자. 스마트 워치에는 다양한 센서들이 탑재되어 있는데, 이러한 센서들은 사용자의 위치, 활동량 등을 생성하고 와이파이, 블루투스, NFC 통신을 통해 센서 정보를 스마트폰이나 서비스에 전송한다.

그렇다면 스마트 디바이스에는 어떤것들이 있을까? 스마트 디바이스에는 스마트 워치 외에도 안경이나 팔찌 형태의 각종 웨어러블 디바이스, 자율 주행 자동차, 원격 제어 가능 로봇 청소기, 세탁기 같은 가전, 그리고 스마폰도 포함된다.

46) 출처: 각 기관, IITP
47) 사물인터넷을 구현하려면 무엇이 필요한가요? LG CNS블로그, 2015.06.16

48)

[그림 61] 여러 가지 스마트 디바이스

스마트 디바이스를 조금 더 자세히 살펴보면 스마트 디바이스는 각종 센서/통신 모듈, 배터리 등의 전력 모듈, 사람의 뇌와 같은 역할을 하는 칩, OS, 원격 제어 및 모니터링을 할 수 있도록 디바이스 상에 탑재되어 있는 Embedded SW 플랫폼 및 애플리케이션으로 구성되어 있으며, 이러한 스마트 디바이스를 개발하기 편리하도록 통신, 칩, OS, SW 플랫폼 및 개발 환경을 묶어 제공하는 시스템인 'IoT Device Platform'이 있다. 최근 스마트 디바이스 기술 동향에서 중요해지고 있는 것 중 하나는 배터리 혹은 전력 관리 기술이다. 앞서 언급한 스마트 워치와 같이 사물인터넷은 항상 전원을 연결할 수 없는 환경이 대부분이기 때문에 충전 없이 오래 사용하려면 배터리 용량이 커야 한다. 하지만, 배터리가 커지면 그만큼 무게가 나가서 휴대가 어려워진다는 문제가 생긴다.

또한 휴대형이 아닌 경우에도 설치 공간의 문제나 전력 설비 공사 등 비용이 증가하는 문제가 생기게 된다. 그래서 같은 배터리를 쓰더라도 전력 사용을 효율적으로 해서 충전 없이 더 오래 스마트 디바이스를 사용할 수 있도록 하는 기술이 최근 주목을 받고 있다. 이와 같은 저전력 소비 기술은 ARM, Intel, Qualcomm 등의 칩 제조사들이 리딩하고 있으며, 그중에서도 ARM의 '빅 리틀 프로세싱'은 상호 보완적 기능을 가진 두 개의 코어를 하나의 칩에 결합해 태스크가 필요로 하는 퍼포먼스에 따라 적합한 코어를 사용하여 전력 소비를 효율화하는 기술이다.

최근에는 칩이 아닌 소프트웨어적으로 전력 소비를 효율화하는 기술들도 나오고 있는데, 대표적으로 Android M의 Doze 기능을 들 수 있다. Doze란 폰이나 태블릿의 움직임 감지 센서를 통해 사용자가 단말을 사용하는 패턴을 모니터링하다가, 일정 시간 동안 사용하지 않을 경우 대기 모드에서 백그라운드 프로세스를 제거해 절전 효율을 높여 주는 기능으로, 구글은 넥서스9 태블릿으로 테스트한 후, 배터리 수명이 50%까지 향상되었다고 밝힌 바 있다.

48) 출처: LG CNS블로그

② **진화된 네트워크**

네트워크는 스마트 디바이스를 스마트폰, 다른 스마트 디바이스 혹은 서비스와 연결해 주는 통신기술을 말한다. 그런데 여기에서 이야기하는 네트워크는 흔한 네트워크 아니라 '진화된(Advanced) 네트워크'를 의미한다. 그렇다면 사물인터넷(IoT)을 위해 네트워크는 어떻게 진화되어 가고 있을까?

스마트 디바이스에서 언급했던 저전력 기술의 발전은 네트워크에서도 일어나고 있다. '블루투스 4.0'나 '지그비(zigbee)' 같은 저전력 근거리 무선 기술 표준이 그 예라고 할 수 있는데 블루투스 4.0의 경우 3.0에 비해 에너지 소비를 50% 가량 개선했다. 근거리 무선 기술뿐만 아니라 LTE 역시 발전하고 있는데, 그 결과 배터리 하나로 10년 간 통신 가능한 저전력 기술인 'LTE-M'으로 진화되고 있다. 통신 속도와 대역폭 측면에서도 발전은 계속되고 있다. 차세대 무선 이동 통신 규격인 5G는 LTE보다 100~1000배까지 빠른 전송 속도를 목표로 하고 있는데, 이는 IoT 환경에서 5G가 요구되는 이유는 폭증하는 데이터를 지연 없이 전송하고 처리하기 위함이다.

③ **클라우드 컴퓨팅**

클라우드 컴퓨팅이 처음 등장한 이유는 높은 수준의 IT 인프라를 저렴한 비용으로 유연하게 사용하기 위해서였다. 그러나 IoT 시대의 클라우드 컴퓨팅은 단순히 싸고 유연한 인프라가 아니라 서비스 백본(Backbone)으로서의 그 중요성이 더 크다.

스마트 디바이스의 경우 저장 용량이나 시공간이 제약이 있다. 하지만, 스마트 디바이스가 클라우드와 연결되는 순간 이러한 제약을 뛰어 넘어 사용자에게 끊김 없는 서비스를 제공할 수 있게 된다. 또한 센싱 데이터에 기반하여 지능형 서비스를 제공하기 위해서는 빅데이터 분석이 필요한데, 클라우드 컴퓨팅은 빅데이터 분석을 위해서도 꼭 필요한 서비스 인프라라고 할 수 있다.

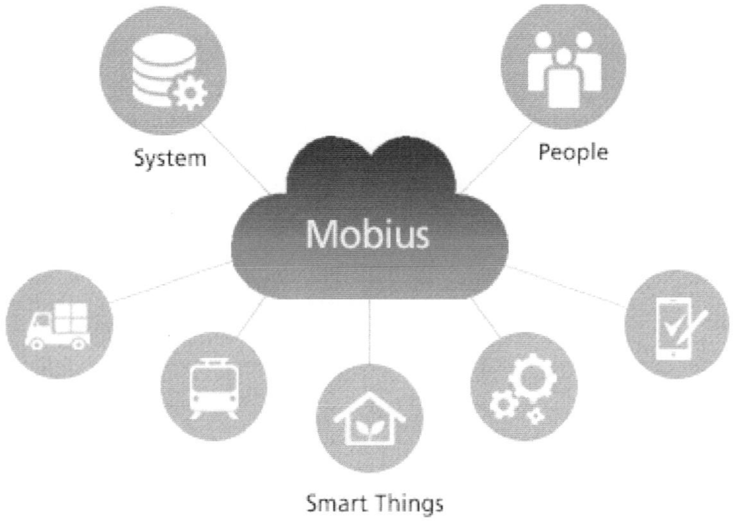

[49]

[그림 62] 한국전자부품연구원의 IoT 플랫폼 Mobius 개념도

49) 출처: http://iotmobius.com

④ 빅데이터 분석

IoT 환경에서는 빅데이터 분석이 중요하다. 그 이유는, 서비스 관점에서의 IoT의 4개 기술 요소 중, 빅데이터 분석은 사용자 부가 가치가 가장 큰 영역이며 또한 IoT 환경에서 폭증하는 센서 데이터(오디오, 영상, 이미지와 대량의 센서로부터 생성된 측정 값들)는 사람이 수작업으로 분석하거나 이해할 수 있는 양이 아니기 때문에 시스템적인 분석이 점점 더 중요해지고 있기 때문이다.

IoT 측면에서 빅데이터 분석 기술 동향 중 주목할만한 점은 '머신러닝(Machine Learning)' 기술에 대한 관심과 적용의 증가다. 데이터를 분석하기 위해서는 모델링이 필요한데, 이 모델링을 사람이 아니라 컴퓨터가 알아서 하게 하는 것이 바로 '머신러닝'이라고 할 수 있다. 즉 컴퓨터가 스스로 패턴을 찾아내고 새로운 분류 체계를 만들어 가며 데이터를 분석해 의미 있는 결과물, 예를 들면 향후 예측과 같은 결과를 내놓게 되는 것이다. 지금까지 이것은 사진의 문자를 인식하거나 이메일 스팸 필터링, 쇼핑몰 연관 추천 시에 많이 사용되었으나, IoT에서는 대량의 센서 데이터들로부터 연관 관계를 찾고, 향후 결과를 예측할 때 주로 쓰인다.

GE의 '프리딕티비티 솔루션(Predictivity solutions)'을 예로 들어 보면, 이 솔루션은 천만 개의 센서를 통해 하루 오천만 가지의 정보를 수집하고 분석하는데, 이는 고객의 자산인 기계나 장비가 돌발적으로 가동 중지 상태, 즉 다운타임을 겪지 않도록 예방해 준다고 볼 수 있다. 티센크루프 엘리베이터 역시 IoT 데이터 분석에 머신러닝을 적용한 사례로, 티센크루프는 각 엘리베이터에 센서를 부착해 속도, 모터 온도, 출입문 오작동 등 각종 정보를 수집해 이를 클라우드로 전송한다. 이후 이 데이터를 바탕으로 예측 모델을 만들고 언제, 어떤 문제가 생길지 예측하는데, 이를 통해 엘리베이터에 문제가 발생하기 전에 정기 점검을 하고 수리할 수 있다.

2) 산업 동향[50]

IoT는 인터넷에서 가상으로 나타나거나 존재하는 물리적 세상의 모든 대상을 연결하는데 사용되는 기술로, 센서 가격 하락, 기술이 차지하는 공간 축소 및 유비쿼터스 연결성으로 인해 계속적으로 증가하고 있는 여러 사물로부터 데이터를 수집 및 통합하는 것이 그 어느때보다 용이해져 점점 더 많은 지능형 사물들이 전 세계 사람들의 일상생활을 변화시키고 있다. 이처럼 IoT는 모든 사물을 인터넷에 연결하여 실시간으로 데이터를 주고받는 4차 산업 혁명의 핵심 기반 기술로, 인공지능, 빅데이터, 3D 프린팅 등의 기술과 융합하여 생산 혁신의 원천이 되고 있다.

최근 전 세계 사물인터넷(IoT;Internet of Things) 시장 규모가 2021년 3,845억 달러에서 2027년에는 5,664억 달러로, 연간 6.7%로 성장할 것으로 전망되었다. 5G 통신 기술의 보급, 클라우드 플랫폼 채택 증가로 인한 데이터 센터 필요성 증가, 무선 스마트 센서 및 네트워크 사용자 증가, IP 주소 증가와 향상된 보안 솔루션 등이 시장 성장을 견인할 것으로 분석됐다.

2020년 IoT 기술 시장에서 가장 시장 점유율이 높았던 부문은 데이터 관리로, 마이크로소프트, IBM, SAP, 시스코(Cisco) 등이 소프트웨어 시장에서 솔루션을 제공하며 경쟁하고 있다. IoT 장치에서 매일 쏟아지는 비정형 데이터를 분석하고 다루려면, 빠르고 효율적으로 데이터 관리를 할 수 있는 솔루션이 필수적이기 때문에, IoT 기술 영역에서 데이터 관리는 가장 중요한 솔루션이라고 마켓엔마켓은 밝혔다.

또한, 예측 기간 동안 높은 성장률을 보일 것으로 예상되는 분야는 장치 관리 플랫폼과 원격 모니터링 부문이다. 마켓엔마켓은 장치 관리 플랫폼은 조직에서 사용되는 장치의 관리, 추적, 보안 및 유지를 지원하고, 연결된 장치의 수가 증가함에 따라 장치 관리 플랫폼의 필요성이 증가할 것이므로 장치 관리 플랫폼은 장치 프로비저닝, 구성, 원격 액세스, 장치 모니터링, 소프트웨어 관리 및 문제 해결에 도움이 된다고 분석했다.

마켓엔마켓은 2027년까지 IoT 기술 시장에서 가장 큰 시장 점유율을 차지할 부문으로는 네트워크 관리 플랫폼 부문을 꼽았다. IoT 네트워크 관리에는 인증, 프로비저닝, 구성, 모니터링, 라우팅, 장치 소프트웨어 관리 등이 포함된다. 이러한 기능들은 원활한 네트워크 상태를 유지하는 데 반드시 필요하며, 장치에 구애받지 않고 하드웨어 모델과 데이터 구조를 IoT 워크 플로우에 통합하는 방법을 제공한다.[51]

IoT Analytics에 따르면 2021년 코로나와 반도체 부족 영향에도 불구하고 IoT 디바이스의 숫자는 9% 성장하여 123억개로 확대될 것이며, 향후 연평균 22% 성장을 고려하면 2025년 271억개로 확대될 것으로 전망된다.

---

50) 지표로 보는 이슈, 사물인터넷, 국회입법조사처, 2017.10.12
51) "IoT 시장 규모 2027년 5,664억 달러… 5G와 스마트 센서 등 견인", CIO Korea, 2021.11.01

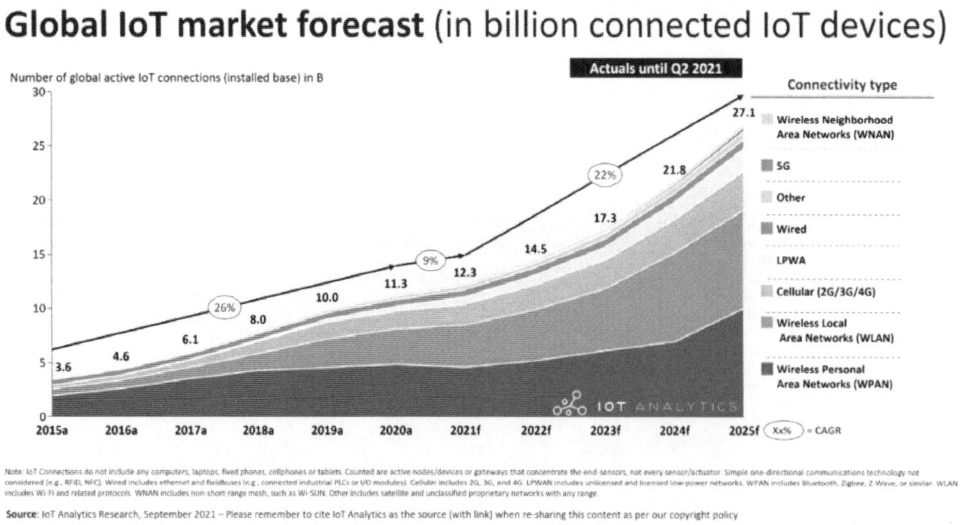

[그림 63] 글로벌 IoT 시장 예측

특히 셀룰러 기반의 IoT 디바이스는 2021년 상반기에 2억개를 돌파하였으며, 2G/3G 기반의 셀룰러 디바이스의 숫자는 점차적으로 감소하고 있으며, LTE-Cat 1 기반 디바이스가 확대되고 있으며, 내년부터는 5G도 점차적으로 늘어날 것으로 기대된다.

2020년 LPWA 시장을 살펴보면, 비면허대역의 LoRa와 Sigfox의 시장 점유율이 53%, 면허대역의 NB-IoT와 LTE-M이 47%를 차지했으나, 2021년에는 면허대역의 LPWA 디바이스의 숫자가 증가하여 면허대역을 사용하는 디바이스가 54%, 비면허대역을 사용하는 디바이스가 46%를 차지하고 있다. NB-IoT 네트워크가 1위로 LPWA 시장의 44%를 차지하고 있으며, LoRa 네트워크가 37%를 차지하고 있으며, 향후 5년간 NB-IoT와 LoRa가 시장을 주도할 것으로 예상된다.52)

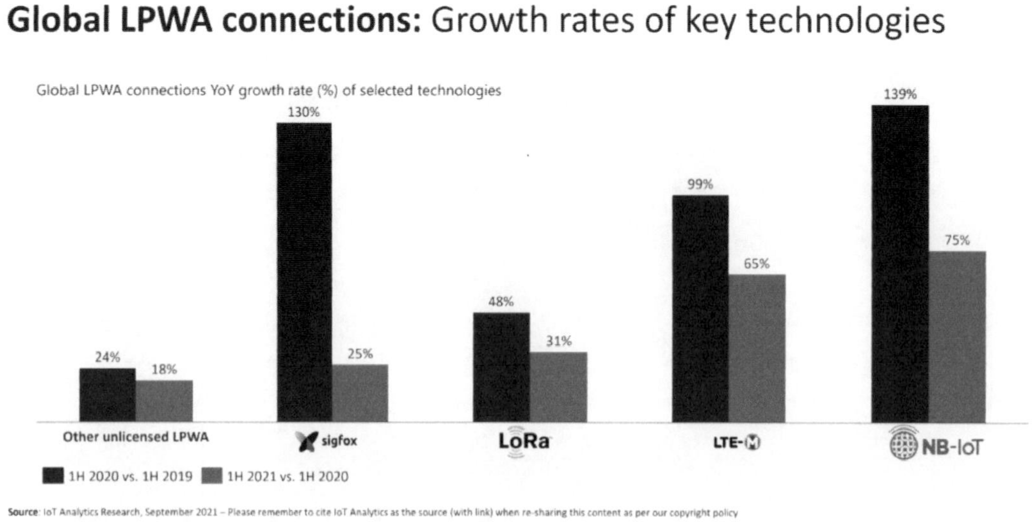

[그림 64] 글로벌 LPWA 연결

52) 2021년 전세계 IoT 디바이스는 123억개로 확대, daliworks

3) 기술 동향[53)]

IoT용 스마트센서의 소재 기술 관련하여, 순수 실리콘 재질이 아닌 실리콘 화합물 소재 센서 개발이 진행 중이다. 순수 실리콘의 경우 고온·고압 등 극한 환경에서 물성이 견디기 어려워 석유·가스, 에너지, 팩토리, 국방, 항공 우주 등에서는 적용이 어렵다는 단점이 있다. 온도센서는 가스발굴용 275℃, 가솔린 엔진 300℃, 지역발전소 375℃, 가스 및 항공엔진에는 600℃를 견디는 센서가 필요하기 때문이다. 또한, 크기의 축소, 고집적화에 따른 발열 문제 등을 해결하기 위해 실리콘 이외 소재의 적용이 필요한 상황에서 탄화수소(SiC) 소재는 실리콘 대비 절연파괴 전계강도가 10배 높아, 전기차, 전력그리드, 전력반도체 시장에 적용될 것으로 전망된다.

다양한 사물에 탑재되는 센서의 경우, 작을수록 유리하며, 이에 따른 소형화 및 집적화 기술 개발이 활발히 진행되고 있다. 최근 반도체 미세공정의 진보와 함께 MEMS 기술이 적용되어 센서의 크기가 점차 감소하는 추세로, 2009년 대비하여 2020년에는 1/9 수준으로 감소되었으며, 2×2×1㎜의 초소형으로 개발이 진행중이다. 이처럼 센서의 크기가 감소함에 따라, 다양한 소스의 감지 데이터를 결합할 수 있으며, 이를 통해 정확한 정보를 생성하는 복합 센서 모듈의 개발이 진행 중이다.

초기 단말기는 센서 신호의 전송에 클라우드 기능을 적용하였으나, 최근에는 보안, 장애 대응 등을 위해 클라우드에서 단말기기로 컴퓨팅 기능이 분배되는 엣지 컴퓨팅 기술이 확산되고 있다. 또한, 컴퓨팅 파워의 집적화를 통해 디지털 신호처리회로도 단일 패키지에 집적화하여 데이터 전송을 감소시키는 등 소형, 저전력, 다기능화를 위한 특징을 가진다.

지능형 알고리즘이 적용된 지능형 센서는 센싱 기능과 더불어 통신, 데이터 처리 및 인공지능 기능까지 갖춘 센서로 상황인식, 분석, 추론이 가능한 인공지능 알고리즘이 추가되어 센서에서 생성되는 데이터를 클라우딩 방식이 아닌 실시간으로 처리 가능한 기술이다. 스마트기기용 스마트센서 알고리즘은 모바일 기기와 연결된 알고리즘, 전자피부 등의 웨어러블 기기용 센서, 제어, 판단, 통신, 오감인지 등의 기능을 포함한 알고리즘이 개발되고 있으며, 스마트홈용으로 온도, 습도, 진동, 소음, 접촉, 터치, 압력, 음향, 카메라, 조도, 색감, 가속도 등 일반 가정 내부의 환경 등을 복합적으로 분석하는 알고리즘이 개발되고 있다. 또한, 스마트카 및 스마트팩토리, 스마트 시티 등에 적용되는 다양한 정보 복합센서를 구성하고, 이를 구동할 수 있는 알고리즘도 개발되고 있다.

스마트센서 플랫폼은 스마트센서 모듈, 센서 통신 네트워크, 클라우드 서버, 응용 서비스로 구성된다. 스마트센서 플랫폼은 다종·다수의 지능형 센서들의 측정 데이터를 통합하여 다양한 분야에서 데이터 시각화, 모델 구축 및 예측 서비스를 제공하는 데 공통으로 필요한 기술 요소이다.

---

53) 유망시장 Issue Report 스마트센서, 연구개발특구진흥재단, 2021.08

스마트 센서는 기존의 원격 측정만이 가능했던 센서 소자에서 벗어나 다수의 센서 노드가 조직적으로 설치되며, 단순 센서 측정 데이터뿐만 아니라 센서 간의 상관관계를 통해 상황인지, 추론, 판단을 가능하게 하는 알고리즘까지 내장하는 형태로 발전 중이다. 초기 단순 데이터 수집하는 플랫폼에서, 응용 서비스별 데이터 수집 모델을 지원하는 플랫폼으로 변화되고 있다.

센서 통신의 경우에는 저전력 장거리 통신이 필수로 LTE-M, NB-IoT, LoRa, SIGFOX 등이 적용되고 있다. LTE-M, NB-IoT는 초기 투자비용이 낮은 반면, 지속적인 통신 사용료 및 데이터 보안이 단점이다. LoRa, SIGFOX는 반대로 초기 구축비용은 높으나, 사설망으로 데이터 보안에 강점을 가진다. SK텔레콤은 LoRa를 활용한 서비스를 사업화했다.

유연/신축 소재의 새로운 폼팩터 기술 개발을 위해 첨단소재와 공정기술을 접목하여, 곡면에 부착 가능하거나 신축 가능한 기술 개발이 진행되고 있는데, 인체 부착을 통한 웨어러블 기기, 헬스케어 분야에 적용이 가능하다는 장점이 있다. 임페리얼 칼리지 런던(Imperial College London)의 연구진은 질병을 조기에 진단할 수 있는 랩-온-칩(Lab-on-chip)을 개발하기도 했다. 카트리지를 CMOS 칩 상으로 일련의 ISFET 센서들이 탑재된 랩-온-칩디바이스로 집어넣으면, 센서는 마이크로 컨트롤러로 연결되고 마이크로 컨트롤러는 블루투스를 통해 클라우드나 스마트폰 앱으로 데이터를 전송하게 된다.

한국 국토교통부는 건설사업정보시스템(건설CALS)에서 보유 중인 데이터와 외부 관련 정보를 연계해 과적차량을 단속할 위치를 찾아내는 기술을 개발했다. 이는 과적단속 최적 위치와 시기 예측을 통해 과적단속정보와 교통량, 기상정보, 산업단지 정보 등을 분석하고, 분석 결과를 바탕으로 과적차량이 지날 수 있는 확률이 높은 지역을 예측해 이동식 단속반의 단속 위치를 안내한다. 또한 과적차량이 단속을 회피하고 우회하는 것을 방지하기 위해 DTG(디지털운행기록계) 정보 등을 분석해 단속위치 주변의 우회로 중 우회 가능성이 높은 우회로를 안내할 수도 있다.

라. 센서

1) 기술 개요[54)]

센서(Sensor)란, 측정 대상물로부터 압력, 가속도, 온도, 주파수, 생체신호 등의 정보를 감지하여 전기적 신호로 변환하여 주는 장치(device)를 의미한다. 즉, 인간이 오감을 통해 주위 환경을 인지하고 파악하는 것처럼 다양한 전자기기는 센서를 통해 정보를 취득하고 분석하므로 센서는 전자기기의 감각기관 역할을 수행한다고 할 수 있다.

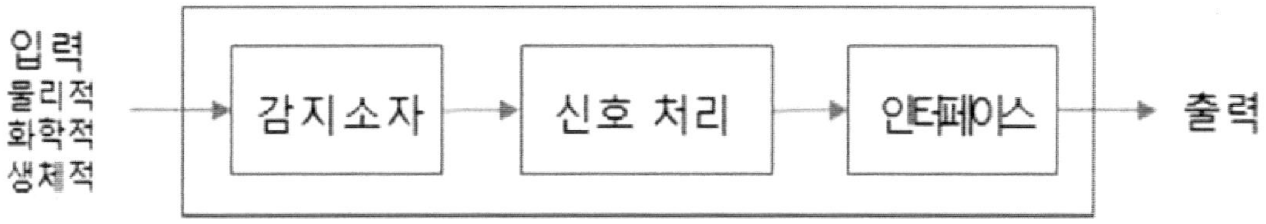

[그림 65] 센서의 기본 구조

센서는 감지대상, 동작방식, 재료, 구현기술 및 집적도에 따라 다양 하게 분류되며, 목적에 맞는 기준으로 혼용하여 사용한다.

구분	내용
감지대상별	물리센서(힘, 온도, 전자기, 광학 등), 화학센서(가스, 이온, 수질 등), 바이오센서
감지방식별	저항형 센서, 용량형 센서, 광학식 센서, 자기식 센서
집적도별	단순센서, 전자식 센서, 디지털 센서, 지능형 센서
구현기술별	반도체 센서, MEMS 센서, 나노센서, 융복합센서
적용분야별	자동차용, 모바일용, 가전용, 환경용, 의료용 등

[55)]

[표 39] 센서의 분류

센서는 기기가 더 스마트하고, 안전하고, 환경 친화적이면서 쉽게 사용할 수 있는 기반을 제공하며, 계측기기, 자동차, 모바일기기, 가전기기, 의료 기기, 국방·보안기기, 환경기기, 산업기기 등 다양한 분야에 적용되고 있다.

54) 센서산업과 주요 유망센서 시장 및 기술동향, ETRI, 2015.05.15
55) 출처: IoT 시대에 주목받는 스마트 센서 유망분야 시장전망과 개발동향, CHO Alliance(2015)

최근 인간과 기기간의 상호작용이 증가되면서 기기의 첨단화, 스마트화가 가속화 되고 있으며, 이에 따라 센서도 소형화, 복합화, 지능화가 추구되고 있다.

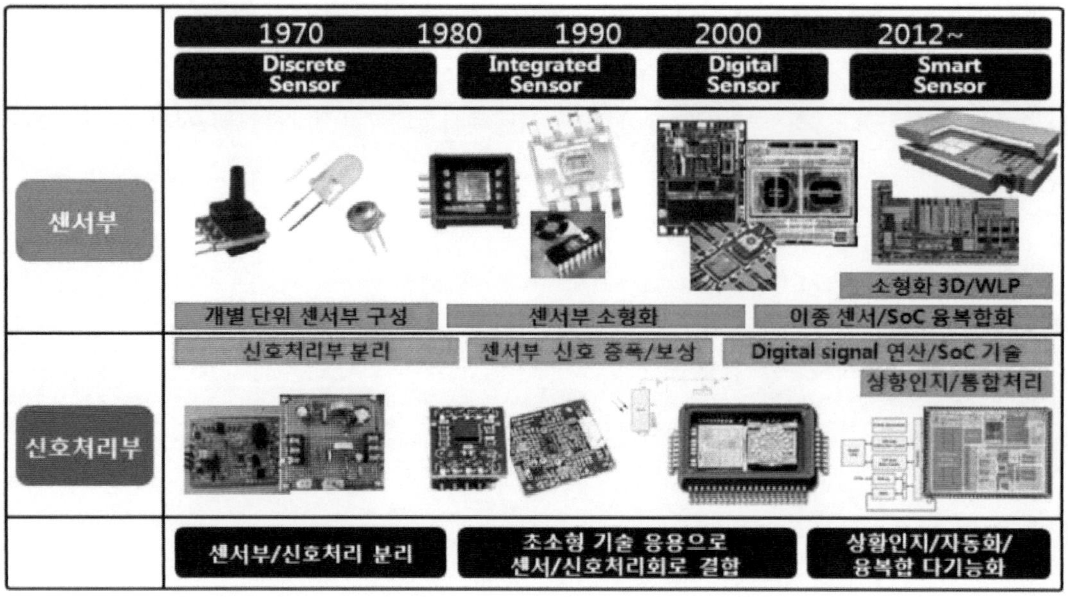

[56]

[그림 66] 센서의 진화방향

대표적인 예로는 MEMS(Micro Electro Mechanical System: 미세전자기계시스템)를 들 수 있다. MEMS를 토대로 센서는 더욱 소형화되고 있으며, 단일센서 모듈→복합센서 모듈→one-chip 복합 센서로 복합화가 진전되고 있으며, 가상·증강현실과의 결합으로 지능화된 서비스를 제공하고 있다.

센서산업은 센서 제조를 위한 소재산업, 소재를 이용하여 고유 기능이 구현된 소자산업, 여러개의 소자를 사용하여 조립한 모듈 및 시스템형 산업을 포함한다. 센서는 최종재화로써 사용되기보다 특정 어플리케이션을 제공하기 위해 정보를 취득, 센싱하는 도구로써 중간재 성격을 가지므로 전형적인 부품산업으로 볼 수 있다.

센서는 칩, 패키지, 모듈, 시스템의 단계를 거쳐 대부분의 산업에 활용된다. 그 중, 칩 생산이 중요하며, 패키지, 모듈은 활용산업의 혁신제품 개발에 영향을 미친다. 센서는 대부분 세트제품의 기능을 다양화, 첨단화 시키는 핵심요소로, 인간과 기기의 원활한 인터페이스를 위해 반드시 필요하다. 또한, 응용분야에 따라 재료기술, 설계기술, 공정기술 등이 다르기 때문에 글로벌 전문기업 육성에 적합하며, 주로 대기업인 수요기업과의 상생 협력이 중요한 분야라고 할 수 있다.

56) 출처: 지식경제부(2012), “센서산업 발전전략” 보도자료

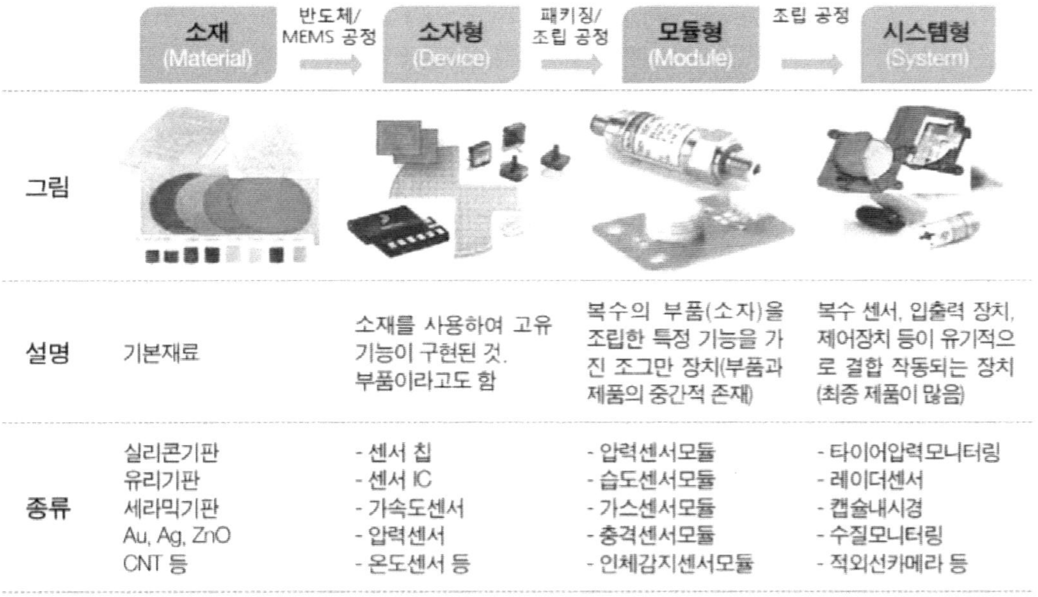

57)

[그림 67] 센서 산업의 범위

최근 다양한 형태의 센서가 여러 산업부문에 적용되어 활용 되고 있으며, IoT 시대의 도래에 따라 산업적 활용도는 대폭 증가할 전망이다. 산업별 활용도가 높은 주요 센서는 다음과 같다.

산업분야	활용도 높은 주요 센서
소비, 가전	온도/습도 센서, 진동/소음 센서, 접촉/터치/압력센서, 마이크로폰, 카메라 근접/조도/색감 센서, 가속도 /지자기계/자이로스코프, IR동작/체온 센서 등
의료, 건강	체온센서, 혈압계, 심전도, 심박센서, 뇌파센서, 당뇨센서, 지문, 홍채인식 센서 등
항공	항법장치(GPS 등), 기온/습도/풍속/ 풍향센서, 레인센서, 라이다, RF/Laser 기반 고도센서 등
자동차	흡/배기 가스센서, 유량센서, 공기압 센서, 온도/습도 센서, 마이크로폰, 카메라, 레인센서, 라이다 등
가정, 빌딩	이산화탄소, 미세먼지, 황사감지 센서, 가스/연기/화재감지, 카메라, 적외선, 음향, 진동감지, 동작, 압력센서 등
도시, 환경	기압/온도/습도, 일조량/적외선/자외선, 황사/먼지/오존 감지 센서, 농약, 독성 검출 등

[표 40] 산업별 활용도가 높은 주요 센서

58)

57) 센서산업 고도화를 위한 첨단센서 육성사업 기획보고서, 지식경제부(2012)
58) 출처: LGERI 리포트, 2014년 5월

2) 산업 동향[59)]

① 모션센서

모션 센서는 전통적인 강자인 미국의 인벤센스(Invensense), 하니웰(Honeywell), 유럽의 ST 마이크로일렉트로닉스(STMicroelectronics) 등이 주도하고 있어, 전세계 중소·중견기업의 글로벌 시장 진입이 쉽지 않은 상황이다.

미국의 인벤센스와 하니웰은 각각 MEMS(Micro Electro Mechanical System) 공정 기반의 모션 트래킹 센서(HG1120CA50) 및 IoT용 고성능 센서를 출시했다. 인벤센스는 2019년 스마트폰 특화 계산을 지원하며 증강현실(AR) 게임을 가능하게 하는 진화된 소비자 가전기기에 쓰이는 6축과 9축 모션센서를 주력으로 공급하고 있으며, 하니웰은 2019년 MEMS 공정기반 IoT용 고성능 9축 센서를 개발했으며, 이는 500 deg/sec의 각속도 측정 범위 및 16G의 가속도 측정 범위를 가진다.

일본의 TDK(Tokyo Denki Kagaku)는 2017년 관성 센서 선도기업인 Invensense를 인수하여 스마트폰 부품 전문업체로 변모하였고, 덴소(DENSO)는 2020년 높은 민감도를 가지는 MEMS 자이로를 개발했다. 덴소는 2020년 5x6.5 mm 크기의 칩 내에 정합 사다리 구조의 형태로 개발하여 오차에 둔감하고, 120,000 Q-Factor 및 높은 바이어스 안정도를 보인다고 발표했다.

중국의 랴오닝(Hanking)은 2020년 6축(3축 자이로+3축 가속도) 구조를 갖는 HKE21100 관성 센서 등 다양한 제품을 출시하고 있다. HKE21100 관성센서는 1.71V의 낮은 전원으로도 작동 가능하며, -40°C에서 85°C의 온도 범위에서 작동한다.

국내에서는 ETRI, KIST, 연세대 등 연구기관에서 센서를 개발하는 단계로, 기업의 경우 솔루션 개발 수준으로 상용수준의 센서 부품을 판매하는 단계에는 도달하지 못했다. ETRI는 2018년 고무형 복합소재를 활용하여 신체의 움직임을 감지하는 모션센서를 제작하고, 혈압 및 심장 박동 수를 실시간 감지하는 촉각 센서 모듈 제작에 성공했다. KIST는 2018년 광섬유 센서를 이용하는 착용형 인체 모션 캡처링 센서 시스템을 개발하였으며, 구부러짐 및 비틀림 각도 등을 실시간으로 측정이 가능하다. 스탠딩에그는 2016년 전력을 적게 소모하고 정확한 센싱 정보를 가지는 모션 센서 솔루션(6축 혹은 9축 센서 퓨전 알고리즘)을 개발했다. 이 외에도 유비트로닉스, 신성 사운드모션(신성 CNT 의 자회사) 등의 중소기업이 가속도 및 각속도 센서를 포함한 관성 센서 기술 및 제품을 연구개발하고 있다.

② 터치센서

터치 센서는 저가화로 인해 업체별 자체 센서 개발이 아닌 패널·디스플레이와 결합하여 모듈화 및 SoC(System-on-Chip)화하는 추세로 글로벌 시장이 변화하고 있다.

---

59) 스마트디바이스용센서, KISTEP 기술동향브리프, 한국과학기술기획평가원, 2021

미국의 유니픽셀(Uni-Pixel)은 플렉시블 터치센서(제품명 InTouch)를 개발하였고, 시냅틱스(Synaptics)는 CES 2020에서 고성능 터치스크린 컨트롤러 제품을 공개했다. InTouch는 2018년 대표적인 UI(User Interface) 센서인 터치 센서에 금속 메쉬(mesh)구조 및 인쇄공정을 기반으로 멀티 터치, 방수 터치, 리모트 제스처 인식 등의 신기능을 추가했다.

스웨덴 센서 전문 기업인 핑거프린트(Fingerprints)는 2021년 스마트폰용 터치 센서인 FPC 1542 및 FPC 1541를 출시했다. FPC 1542는 곡면형 센서를 이용해 설계 유연성을 높이고 유저 편의성을 크게 개선함과 동시에 스마트폰 디자인 미관을 보완할 수 있다. FPC 1541은 측면 장착용 초슬림 센서로 편리하고 안전한 인증 방식이 필요한 폴더블폰 등 다양한 최신 스마트기기의 자유로운 설계를 가능하게 한다.

중국의 구딕스(Goodix)는 2017년 세계 최초로 스마트폰용 화면 내장형(in-display) 초박형 지문인식 모듈을 공개하여 디스플레이와 합쳐지는 방향성을 제시했다. 본 모듈은 고도로 발달된 지문 솔루션을 기반으로 한 딥 러닝 알고리즘으로 구동되며, 완속 출력 소비를 60% 줄이고 유저 편의성을 대폭 개선했다.

국내에서는 지니틱스, 드림텍, 크루셜텍 등 중소·중견기업 위주로 국내기업의 수요에 대응하는 수준으로 모듈화한 제품을 판매하고 있고, 글로벌 시장의 매출 확대를 기대하고 있다. 지니틱스는 웨어러블 초저전력 터치 IC 시장 세계 1위 기업으로 2018년 2,048x2,560의 높은 해상도를 지원하며, 낮은 소비전력을 가지는 정전식 센서 BT431/BT432를 출시했다. 드림텍 및 파트론은 모두 정전식 지문인식센서를 국내외 기업에 판매하고 있으며, 최근에는 대만 이지스텍의 광학식 지문인식센서를 모듈로 가공하여 내장형 광학식 지문인식센서(FoD·Fingerprint on Display) 형태로 제품 및 양산라인을 수정했다. 크루셜텍은 MWC 2018에서 여러 개 지문을 동시에 인식할 수 있고, 전체 화면 지문인식이 가능하며 디스플레이 패널 타입과의 높은 호환성을 가지는 정전식 일체형 DFS(Full Display Fingerprint Solution)를 선보였다.

③ 이미지센서

이미지 센서는 일본 주도로 성장했으나 가격우위에 있는 CMOS 공정 확산으로 한국이 일본을 추격하며 일본과 한국이 양강 구도를 형성하는 가운데, 중국이 최근 급부상하고 있다.

미국에서는 온세미컨덕터(ON Semiconductor) 외에 마이크로소프트(Microsoft) 및 퀄컴테크놀러지(Qualcomm Technologies)에서 스마트 디바이스용 센서 개발을 수행하고 있다. 자동차용 이미지 센서 시장을 석권하고 있는 온세미컨덕터는 2020년 가상·증강현실용 헤드셋에 활용 가능한 이미지센서 제품(AR0234CS)를 공개했으며, MS는 모바일 기기에 장착이 가능하며 글로벌 셔터 기술을 지원해 빠른 제스처를 정확하게 인식할 수 있는 제스처 인식용 센서 수광칩을 2018년 ISSCC 학회에서 발표했다. 퀄컴은 2018년 오스트리아 마이크로 시스템즈(austriamicrosystems, ams)와 공동으로 3D 센싱이 가능한 모바일용 3D심도감지 솔루션과 플랫폼을 개발했다.

일본의 소니(SONY)는 인공지능 기술이 적용된 높은 보안 기술을 탑재한 이미지센서 신제품 'IMX500' 발표했다. 이는 세계 최초로 이미지 센서에 AI 시스템이 통합되는 형태로 자동 초점 시스템 및 트래킹 등의 기능이 구현되며 1,230만 화소를 지원한다.

유럽의 ST마이크로일렉트로닉스는 2020년 머신 러닝 기능을 갖춘 관성센서(LSM6DSOX, iNEMO) 및 고속 이미지 센서(VD56G3) 를 발표하여 스마트기기 제품 라인업을 형성하고 있다. ST마이크로일렉트로닉스의 센서는 머신 러닝 모듈을 내장하고 저전력.초소형을 구현함과 더불어, FSM(Finite State Machine)을 내장하여 모션, 탭, 자유낙하, 흔들림 등 다양한 동작을 칩 내에서 별도의 프로세서 없이 인식할 수 있다는 장점이 있다.

중국의 웨이얼반도체가 2019년 인수한 옴니비전(Omnivision)은 2020년 OV64B를 출시하였고, 스마트센스(SmartSens)는 2~13MP의 카메라 센서인 CS Series를 발표했다. OV64B는 64MP화소에 0.7μm의 피치를 갖췄고, 이는 업계 선두권인 일본과 한국 기업의 제품과 유사한 수준이다. 2020년 공개된 CS Series는 기존 동일한 제품 사양 대비 노이즈를 30% 이상 감소시키고, 초저전력 구동이 가능하도록 하는 회로 설계 방법으로 제작되었다.

국내에서는 삼성전자, LG이노텍, SK하이닉스 등 대기업을 필두로 최신 제품을 개발하고 세계 시장을 선도하는 중이며, 중소기업들도 내수시장 일부를 선점하고 성장하는 중이다. 삼성전자는 2021년 업계 최초로 픽셀을 대각선으로 분할하는 '듀얼 픽셀 프로' 기술이 적용된 아이소셀 GN2를 출시하였다. 본 모델은 기존 제품 대비 픽셀 크기가 0.2㎛ 커짐에 따라 빛을 받아들이는 면적이 약 36% 증가해 더욱 밝고 선명한 이미지를 촬영할 수 있다는 장점이 있다. LG이노텍은 2019년 피사체의 3D Depth Sensing이 가능한 초소형 모바일 안면인식용 카메라 모듈을 개발하여 기존 터치 방식을 대신해 디지털 기기의 편의성을 획기적으로 개선하고, 브랜드 '이노센싱(InnoXensing)'을 론칭했다. SK하이닉스는 2014년에 실리콘화일을 완전히 인수하고, 이후 2017년부터 고화소 시장 진출을 위해 300mm 공정을 setup하였으며, 2018년에 1,300만화소 제품을 출시했다. 캠시스는 삼성전자의 주요 플래그십 스마트폰 '갤럭시노트 20', '갤럭시Z폴드 2' 등 전면 1,000만 화소 모듈과 일반 모델 후면의 1,200만 화소 초광각 모델 들을 공급했다.

3) 기술 동향[60)]

가) 재료

글로벌 센서시장은 2019년부터 2025년까지 연평균 7.7% 성장하여 2025년까지 약 1,200억 달러에 이를 것으로 예상된다. 센서의 재료는 실리콘·세라믹·금속·고분자 등 수천 가지로 다양하지만, 실리콘이 40%를 차지하며 재료시장을 주도할 전망이다.

그 외는 세라믹·금속·고분자 등 수천 가지 재료가 나머지 시장을 분할하고 있다. 가스센서는 고온에서 특정가스에 반응하는 재료로 개발되고 있으며 팩토리의 온도센서는 측정온도에 따라 백금, 철, 구리 등 다양한 재료를 사용하고 있다.

순수 실리콘은 고온·고압·고전력의 환경에서 물성이 견디기 어렵기 때문에 석유·가스, 에너지, 팩토리, 국방, 항공우주 등 극한환경 산업에서는 적용에 무리가 있다. 온도센서의 경우, 가스발굴에 275℃, 가솔린 엔진은 300℃, 지열발전소는 375℃, 가스 및 항공엔진에는 600℃를 견디는 센서재료가 필요하다. 이에 극한 환경에서도 견딜 수 있어 경제성 있는 실리콘 화합물 재료를 활용한 센서개발이 주목을 받고 있다.

탄화규소(SiC) 등과 같이 물성이 우수한 실리콘 화합물 재료가 사업화된다면 전기차 및 태광 등의 전력반도체용 재료는 물론 극한한경의 센서재료로도 사용이 확대될 가능성이 있다.

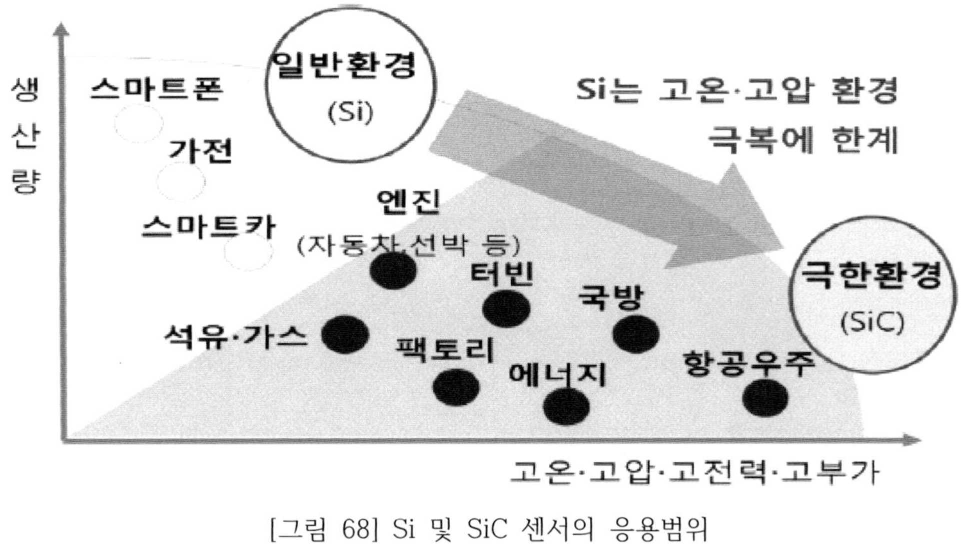

[그림 68] Si 및 SiC 센서의 응용범위

60) Trillion 센서 시대, 스마트 센서 시장의 3대 트렌드는? POSRI 이슈리포트, 2018.1.11

나) 종류

센서는 인간의 오감을 보완하는 방향으로 발전할 것으로 전망된다. 따라서 시각과 관련된 센서가 대세가 될 것으로 예상된다. 특히 자율주행차 등 제조부문 외에 다양한 서비스 영역에서 스마트화를 위해 시각센서 기반 시스템 도입이 확대 될 것으로 보인다.

[그림 69] 인간의 오감과 외부인지 비중(좌), 센서종류별 평균 가격(우)

자율주행 시스템을 위해서는 첨단운전자 보조시스템(ADAS) 등의 기술이 사업화되어야 하며 시각 기반 센서기술이 핵심이라고 할 수 있다. 2021년 ADAS시장이 370억 달러 규모로 성장하고 센서시장이 전체 시장의 56%를 차지할 것으로 전망된다.

서비스업에서도 스마트화 전환이 가속되고 있으며, 이미지 및 영상센서를 기반으로 하는 시스템 도입이 확대 중에 있다. 보험사는 사고 발생 시에 직원을 파견하지 않고 사고차량 영상을 분석하여 손해율을 자동으로 산정하고 있으며 국제공항은 영상인식을 기반으로 출입국 관리 시스템을 빠르게 도입하고 있다. 매장에서는 영상분석을 통해 이상고객을 자동으로 모니터링하는 센서 시스템 도입을 확대하고 있다.

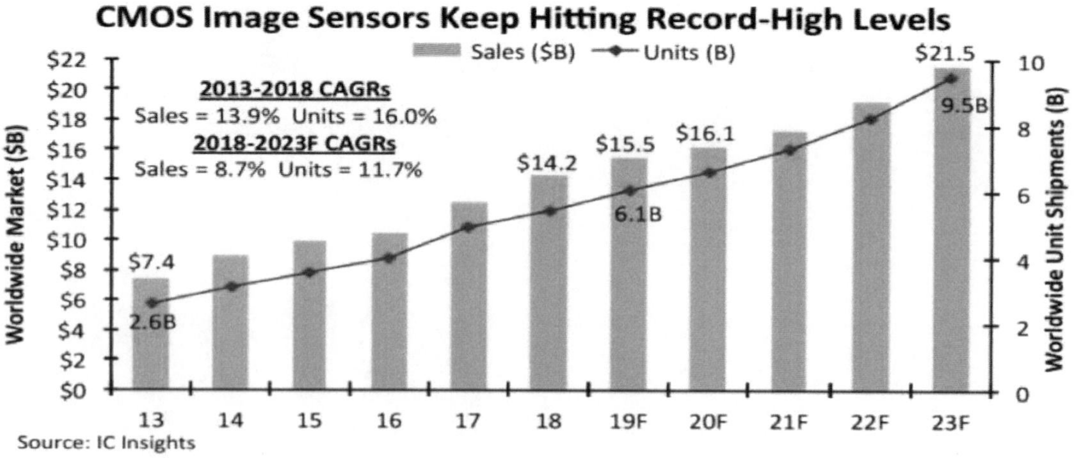

그림 70 세계 CMOS 시장 규모추이

센서 중 높은 성장세를 기록하고 있는 이미지 센서는 대표적인 시스템반도체다. IT기기 안에서 눈과 같은 역할을 하는데 마치 사람이 눈으로 본 빛을 뇌로 전달하듯 카메라 렌즈를 통해 들어온 빛을 디지털 신호로 변환해 이미지신호처리장치(ISP)로 전송하는 역할을 한다.

스마트폰에 여러 개의 카메라를 채용하는 것이 대세가 되면서 이미지센서 수요도 늘고 있다. 전체 매출액 61%는 스마트폰용 이미지센서 판매에서 나온다. 제품 활용도는 지속 확산 추세다. 자동차용, 의료과학용, 보안 카메라용, 산업용 이미지 센서가 2023년까지 각각 연평균 29.7%, 19.5%, 16.1% 씩 늘어날 것으로 보인다.

소니는 이미지센서 시장에서 50% 넘는 점유율로 독보적 1위를 하고 있으나 최근 삼성전자가 2030년 시스템반도체 1위 비전을 내걸며 바짝 뒤쫓고 있다.

다) 부가가치

HW업체들이 경쟁적으로 설비투자를 확대하면서 센서시장은 메모리 및 시스템 반도체 시장의 역사를 따라갈 것이며 범용화 추세는 지속될 것이다. 범용센서는 메모리 반도체 시장과 같이 설비투자 경쟁에서 승리한 소수 업체 중심으로 과점화될 것이며 주문센서는 시스템 반도체 시장과 같이 센서설계업체와 위탁생산업체 (Foundry)가 공존하는 생태계를 조성할 것이다.

기존 HW 강자들의 부가가치는 감소, 업계 주도권은 센서 솔루션을 보유하거나 시스템 설계가 가능한 SW업체로 이동할 것으로 전망된다. 대신 다양한 센서에서 취합된 데이터를 저장-분석-처리하는 Unit 및 솔루션을 개발하는 SW업체의 위상이 강화될 것이다.

따라서 다양한 이종기기에서 발생되는 이종센서의 데이터를 통합하고 고객을 위한 정보로 전환하는 센서융합(Sensor Fusion) 같은 SW 기술이 중요하고 다양한 센서의 플랫폼 운영사, 예를 들면 스마트폰이나 자율주행차 Maker들은 플랫폼에 어떤 센서를 사용힐 것인지 결정권을 행사하기 때문에 업계를 주도할 가능성이 높다.

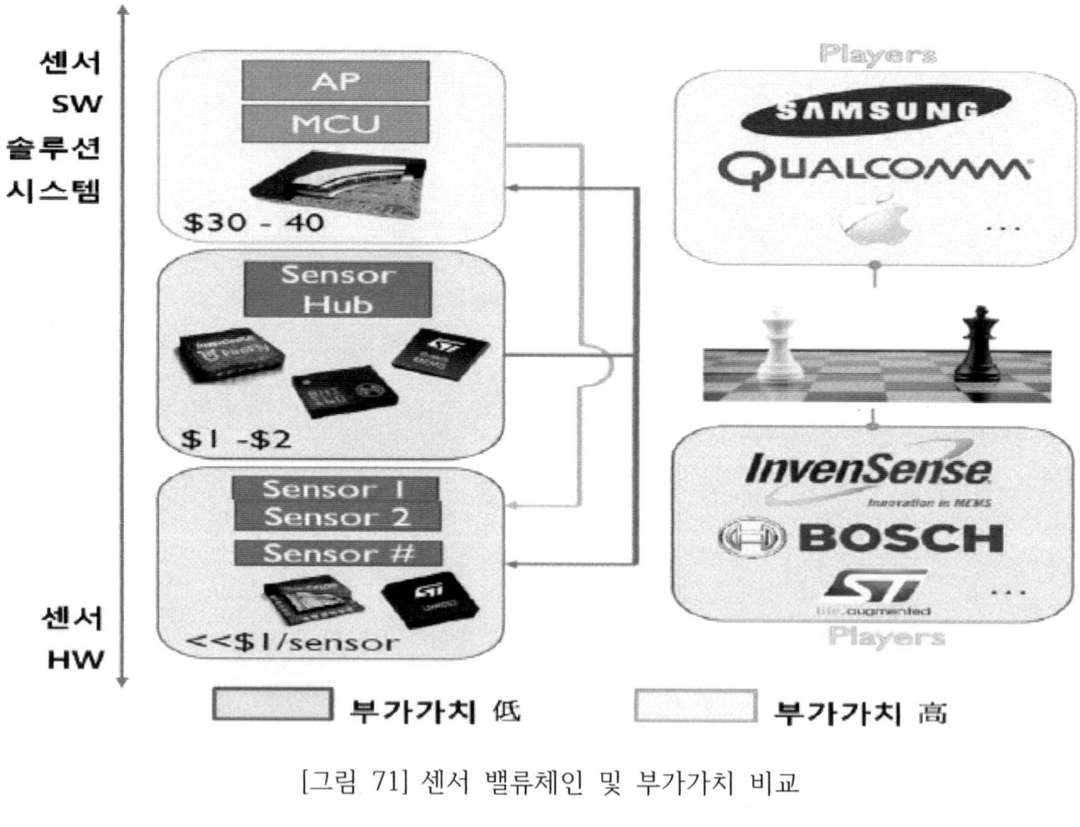

[그림 71] 센서 밸류체인 및 부가가치 비교

마. 3D 프린팅

1) 기술 개요

3D프린팅이란 삼차원형상을 구현하기 위한 전자적 정보(삼차원 도면)를 자동화된 출력장치를 통하여 입체화하는 활동을 의미하며 종이에 글자를 인쇄하는 기존 프린터와 비슷한 방식으로 글자가 아닌 입체 모형을 만드는 기술이므로 '3D프린팅'이라고 명명되었다.

3D 프린팅은 디지털 디자인 데이터를 이용, 소재를 적층하여 3차원 물체를 제조하는 프로세스로 재료를 자르거나 깎아 생산하는 절삭가공과 대비되는 개념이다. 공식용어는 적층제조(AM: Additive Manufacturing), 쾌속조형(RP: Rapid Prototyping)이다.

① 쾌속조형(RP: Rapid Prototyping)

3D 프린팅은 3차원 CAD에 따라 생산하고자 하는 형상을 레이저와 파우더 재료를 활용하여 신속 조형하는 기술을 의미하는 RP(Rapid Prototyping)에서 유래되었다. RF는 1986년에 탄생된 말로 '쾌속 조형법'이라고도 불린다.

쾌속조형은 각 단면을 일정 두께의 층으로 화학적, 물리적 방법으로 적층하여 3차원 형상을 만드는 공정으로 이러한 적층 방법을 사용하면 어떤 재료로 어떤 모양이라도 만들 수 있는 장점을 가지고 있다.

쾌속조형으로 제품을 생산하려면 제작하고자 하는 제품의 데이터가 필요한데, 일반적인 제품은 컴퓨터를 사용한 자동설계나 CAD(Computer Aid Design) 등을 이용해 데이터를 만들며, 기존에 존재하는 형상의 복제품을 만들 경우에는 3d 스캐닝 기술을 이용해 제품의 데이터를 구현한다.

② 적층제조(AM: Additive Manufacturing)

적층제조란 설계 데이터에 따라 파우더(석고나 나일론 등의 가루)나 플라스틱 액체 또는 플라스틱 실을 종이보다 얇은 0.01~0.08㎜의 층(레이어)으로 겹겹이 쌓아 입체 형상을 만들어내는 방식을 말한다.

이때, 레이어가 얇을수록 정밀한 형상을 얻을 수 있고, 채색을 동시에 진행할 수 있다. 적층 방식은 압출, 잉크젯 방식의 분사, 광경화, 파우더 소결, 인발, 시트 접합 등으로 구분되며 활용 가능한 재료는 폴리머, 금속, 종이, 목재, 식재료 등 다양하다.

적층제조법(3D프린팅)은 기존 제조에 비해 여러 가지 장점을 가지고 있어 앞으로 상당한 성장이 예측되는 분야로, 3D프린팅으로 제조된 제품들은 복잡도가 높은 특별한 내부형상, 속이 빈 형상 등을 구현할 수 있고 동일한 강도에 매우 가벼운 구조가 가능하며 복잡도가 높은 제품에 대해서는 기존 제조에 비해 제조비용을 상당히 줄일 수 있는 장점도 가지고 있다.

3D 프린팅 과정은 크게 3D물체의 설계 도면을 만드는 모델링, 원료를 쌓아 올려 물건을 실제로 만들어내는 프린팅, 산출된 제작물에 대한 보완 작업 및 연마, 염색, 표면 재료 증착 등의 마감작업을 하는 마무리 단계로 구분할 수 있다.

① 모델링

모델랑 단계는 CAD와 같은 컴퓨터 그래픽 설계 소프트웨어 등을 이용하여 도면을 작성한 후 STL(Stereolithography) 파일 포맷으로 변환하는 단계이다.

② 프린팅

프린팅 단계는 모델링 단계에서 만든 STL파일을 3D 프린터에서 불러들이면 3D 모델을 가로 방향으로 무수히 많은 얇은 막으로 쪼개어 데이터를 분석하게 되며 재료를 세팅한 후 조형을 시작하는 단계이다.

③ 마무리

마무리 단계는 사용된 재료에 따라 차이가 있지만 조형이 완료되면 완성물의 주변에 붙어있는 찌꺼기나 부산물을 제거하고 광경화 플라스틱의 경우 완전히 단단해질 때까지 굳히는 과정을 거친 후 표면 청소와 매끄럽게 만드는 작업을 하는 단계로, 마무리단계에서 코팅이나 페인팅 과정을 거쳐 최종 결과물로 완성된다. 마무리 작업을 해야 하는 이유는 저가의 3D프린터로 인쇄를 하면 표면이 거칠게 나온다는 문제점이 있기 때문이다.

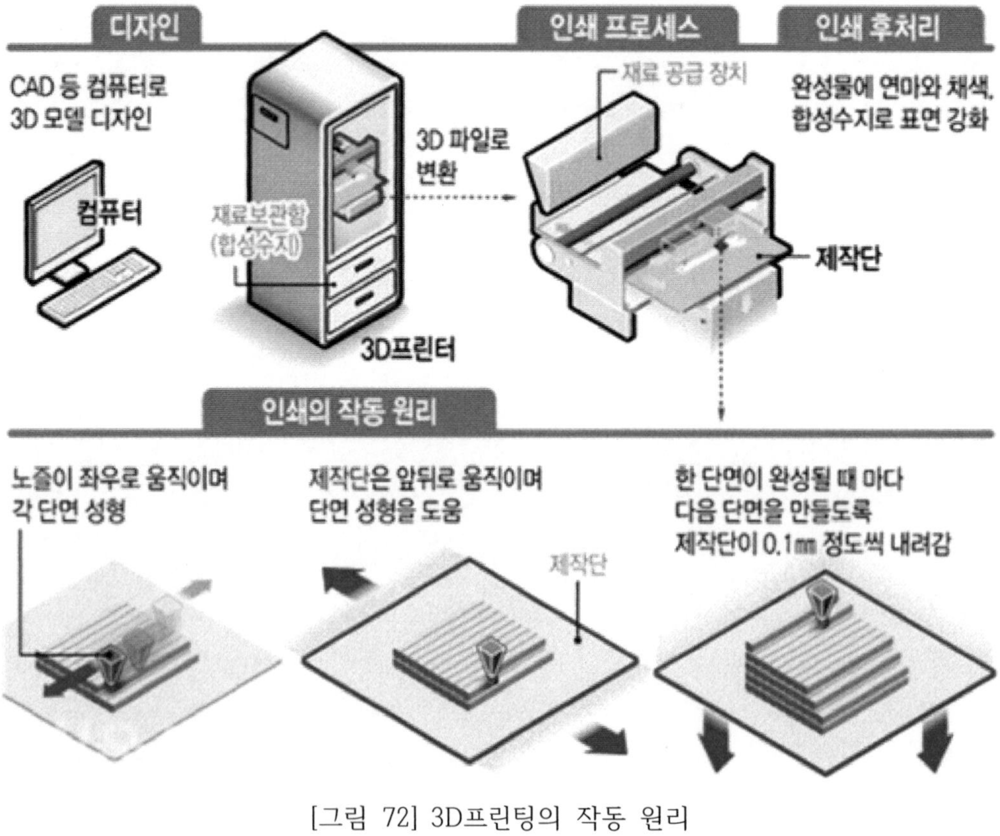

[그림 72] 3D프린팅의 작동 원리

3D 프린팅의 방식은 크게 액체기반 방식, 파우더 기반 방식, 고체 기반 방식, 선형 분사 방식으로 분류할 수 있다.

① 액체 기반 방식

액체 기반 방식은 주로 액체 상태의 폴리머 합성수지와 그 외의 합성수지를 이용하여 물체의 모양을 따라 한 층씩 쌓은 후 광경화시키는 과정을 거친다.

액체 기반의 대표적인 방식은 SLA(Stereolithography Apparatus)로 상업적으로 가장 먼저 도입되었고 아크릴과 에폭시 계열의 광경화성 수지를 레이저를 이용해 쌓아가는 방식으로 정밀도가 뛰어나고 속도가 빨라 원래 형태에 근접하는 정확한 조형이 가능하다는 장점이 있으나 경화 폴리머가 시간이 지나면서 마모될 수 있어 내구성이 떨어진다는 단점이 있다.

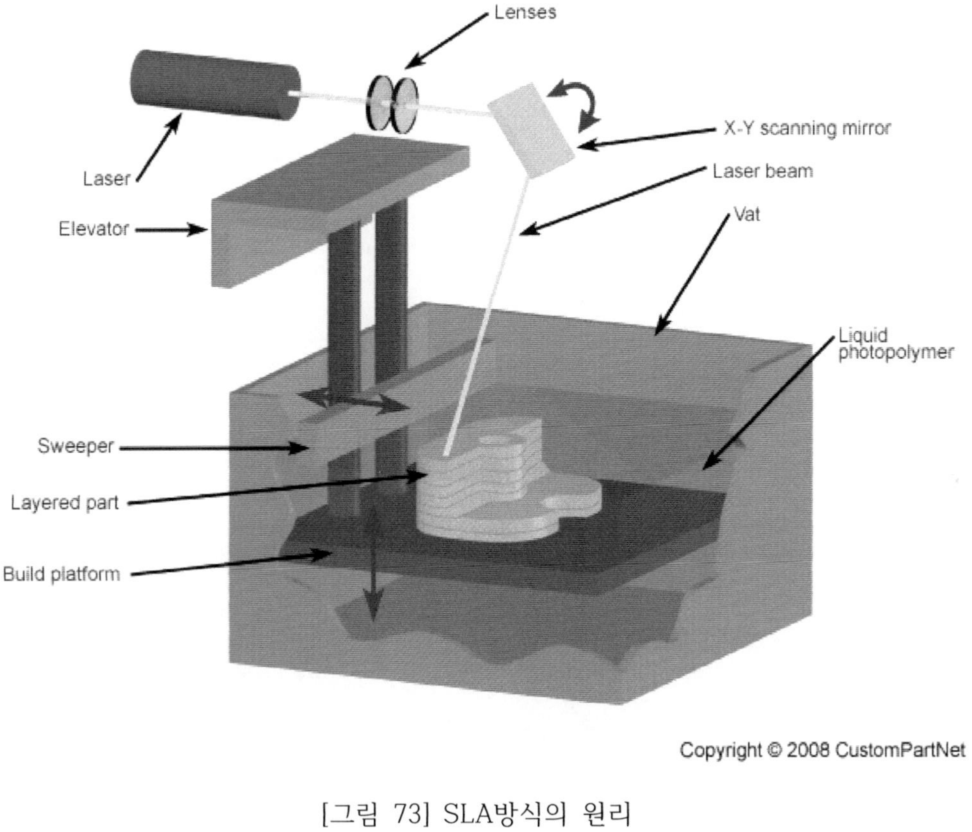

61)

[그림 73] SLA방식의 원리

② 파우더 기반 방식

파우더 기반 방식은 파우더 형태로 만들어진 합성수지, 금속 원료를 녹이거나 소결하는 과정을 거치는 방식으로써 SLS(Selective Laser Sintering)가 대표적이다. 파우더 기반 방식은 합성수지에서 금속, 세라믹, 나일론, 폴리스틸렌, 폴리카보나이트까지 다양한 원료를 사용할 수 있으며 액체원료의 광경화 과정을 거친 결과물보다 견고하다는 장점이 있다.

61) 출처: Custompartnet, http://www.custompartnet.com

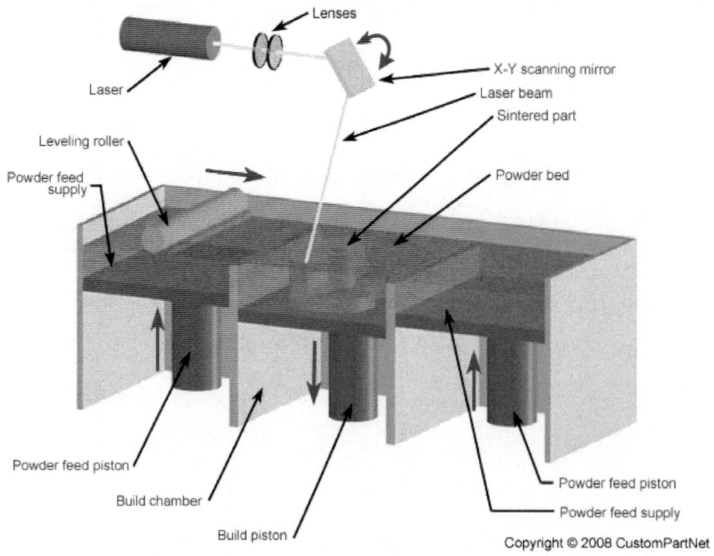

62)

[그림 74] SLS 방식의 원리

③ 고체 기반 방식

고체 기반 방식은 고체 상태의 원료를 자르는 방식(LOM: Laminated Object Manufacturing)과 녹여 쌓는 방식(FDM: Fused Deposition Modeling)이 사용되고 있고, 3D 프린터 방식 중에서 현재 제일 활발하게 개발되고 있다.

고체 기반 방식의 재료는 ABS 등 다양한 재료를 사용하고 재료의 특성상 강도가 강하고 습도에도 강하지만 완성된 조형물의 표면은 가격에 비래 거친 편에 속한다.

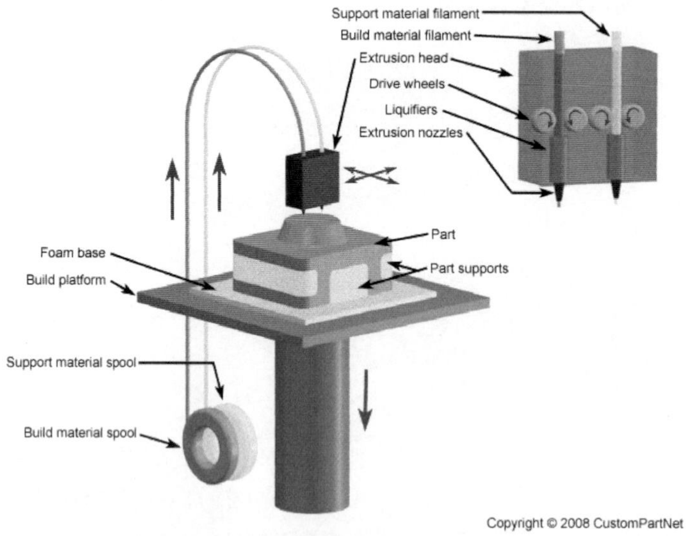

63)

[그림 75] FDM 방식의 원리

62) 출처: Custompartnet, http://www.custompartnet.com
63) 출처: Custompartnet, http://www.custompartnet.com

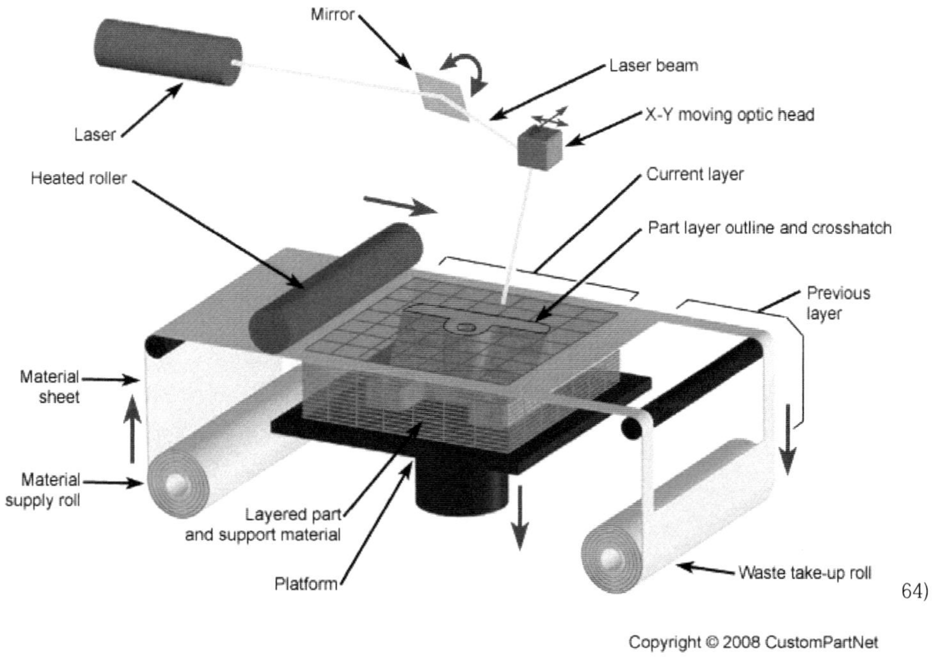

64)

[그림 76] LOM 방식의 원리

④ 선형 분사 방식

선형 분사 방식은 반 중력 객체 모델링(Anti-gravity Object Modeling)이라고 불리는 방식으로 서포트 구축이 필요 없어 제약이 없는 공간에서 조형물의 제작이 가능하다는 장점이 있다. 또한 공기 중에 원료를 굳혀서 물체를 제작하는 방식이기 때문에 어떤 방향의 표면에서도 거의 모든 곡선과 직선형태의 물체제작이 가능하다는 장점이 있다.

구분	정교도	표면마감	재료강도	색상재료	투명재질	유연성재료
액체기반 방식(SLA)	우수	우수	보통	가능(제한적)	가능	가능(제한적)
파우더기반 방식(SLS)	보통	우수	매우우수	불가능	불가능	불가능
고체방식(FDM)	떨어짐	떨어짐	우수	가능(제한적)	불가능	불가능

[표 41] 3D 프린팅 주요 기술의 방식별 특성 비교

3D 프린팅 소재는 인쇄 기술 이상으로 중요하다. 아무리 인쇄 기술이 발달하더라도 그에 맞는 소재가 없으면 3D 프린팅이 불가능하기 때문이다. 즉, 3D 프린팅 인쇄물의 특성을 결정하고 완성도를 높이는 것 역시 소재의 역할이기 때문에 전 세계 3D 프린팅 관계사들은 신소재 개발 비중을 늘리고 있다.

---

64) 출처: Custompartnet, http://www.custompartnet.com

미국의 3D Systems은 세라믹, Al 등 금속 및 PA, Wax, PC, Thermoplastic, Epoxy, PET, PE 등의 다양한 소재를 연구 중이며, Massachusetts Inst.은 세라믹, Photopolymer 소재를 중점적으로 연구하고, Stratasys은 Thermoplastic, PE, Epoxy 소재를 중점적으로 연구하고 있다. 또한, 항공업체인 Boeing은 Ti, A1 등 금속 소재와 PC 고분자 소재에 연구를 집중하고 있다.

이처럼 많은 기업들이 소재 개발에 투자를 아끼지 않은 결과, 전통 소재인 압출방식 3D 프린터용 필라멘트와 산업용 금속 3D 프린팅 파우더는 물론, 의료용 바이오 프린팅 및 푸드 등 차세대 소재에 이르기까지 다양한 소재가 3D 프린팅 영역을 넓히고 있다.

하지만, 3D 프린터 소재 시장은 다른 소재 업체가 진입하기에는 장벽이 높고, 시장 진입에 성공하더라도 제한적 시장 점유의 문제가 존재하기 때문에 선도 3D 프린터 제조업체들이 소재를 프린터와 연계하여 독점적으로 공급하고 있는 추세이다.

3D프린터에는 입체모양을 구성할 수 있는 다양한 소재가 사용되며 대표적으로 PLA, ABS, wood, PVA, 실리콘을 예로 들 수 있다. 그 외에도 3D프린팅에 활용되는 소재는 수지, 금속, 종이, 목재, 식재료 등 매우 다양하며 액체, 파우더, 고체 등 사용하는 재료의 형태에 따라 조형성, 견고함 등의 특성이 상이하다.

① 액체 기반 소재

액체 기반의 3D 프린팅 소재들은 정확한 조형이 가능하다는 장점이 있으나 내구성이 떨어진다는 단점이 있다.

② 파우더 기반 소재

파우더 기반 방식은 다양한 원료의 사용이 가능하며 액체 기반의 방식보다 결과물이 견고하다는 장점이 있다.

③ 고체 기반 소재

고체 기반 소재는 낮은 제조단가와 내습성 등의 장점을 보유하였으나 열에 다소 취약한 편이다. 주요 소재로는 수지와 금속이 사용되고 있으며, 수지를 활용한 3D프린팅은 기술적 완성단계로 주로 저가형(가정용)에 적용되고 있고, 금속의 경우 기술개발 초기단계로 고가형의 산업용 프린터에 주로 사용되고 있다.

수지의 경우 플라스틱, Glass, CFRP와 같은 복합재료 등 거의 모든 재료가 사용되어 시제품, 완구 등에 적용되며 기술적으로 완성단계에 있으며, 금속의 경우 알루미늄, 티타늄이 많이 사용되어 의료, 기계부품 등에 적용되고 있고, 이종재료 적층, 고정밀 적층, 적층률 향상 등에 초점을 맞춘 기술개발초기단계에 있다.

2) 산업 동향

3D프린팅은 1984년 최초로 개발된 이후 2000년대까지 단순 시제품 제작에 주로 사용되었으나, 최근 장비 및 소재의 기술진보에 따라 완성품 제작까지 활용범위가 확대되었다. 3D프린팅은 기존의 제조공정과 달리 틀(금형 등)없이 시제품을 만들 수 있고, 디자인 도면의 변경으로만 수정이 가능하기 때문에 제조업 분야의 시제품 개발 단계에서 주로 사용되고 있다.

3D 프린팅은 다품종 소량생산과 개인 맞춤형 제작이 용이한 까닭에 시제품의 제작비용 및 시간 절감, 제조공정 간소화 등 많은 장점을 보유하고 있어 규모의 경제와 저임 노동비 우위를 가진 전통적인 방식과 다른 형태의 생산/유통/소비 방식을 만들어 내고 있다.

3D 프린팅 시설을 갖춘 공장은 네트워크를 통하여 누구나 연결되어 무엇이든지 주문할 수 있게 되어 직접 생산 혹은 대량 맞춤형 (Mass Customization)이라고 불리며, 소비자의 주문에 맞추어 생산을 하기 때문에 미리 재고를 확보해둘 필요가 없다는 장점이 있다.

3D프린팅은 제조업의 혁신 뿐 아니라 투자, 판매, 재무관리 등의 전 단계에 변화를 가져올 수 있는 기회를 제공한다. 특히 3D프린팅은 금형 투자의 고정비용을 낮춰주고 시장에서의 반응을 살펴보기 위한 소량 생산을 가능케 하며, 재고자산을 줄여주어 경영리스크를 감소시킬 것으로 예상된다. 제품의 주기가 점점 짧아지는 가전 시장의 경우 성공여부가 신제품 출시 속도에 크게 좌우되기 때문에 3D 프린팅을 적용하여 기업 경쟁력을 갖추는 것을 목적으로 하기도 한다.

최근에는 3D프린팅 관련 기술개발과 장비의 가격하락에 힘입어 산업용 정밀기계, 자동차, 의료, 항공 등 다양한 분야에 활용되고 있으며 특히 부품 제조분야에 활용도가 높은데 3D프린팅으로 부품을 생산할 경우 미리 생산해 창고에 비축할 필요가 없고, 단종된 부품도 도면만 있으면 다시 제작할 수 있다는 장점이 있다.

현재 3D프린팅은 제작시간 절감, 정밀성 향상, 금속소재 개발 등 단점을 극복하기 위해 다양한 기술을 개발하는 단계에 있다. 3D프린팅은 금형 등을 이용한 제조방식과 달리, 제품의 순차 생산에 따른 긴 제조시간과 높은 생산비용 등으로 인해 완제품의 대량생산을 대체하기에는 어려운 상황이다. 따라서 이를 위해 주로 3D프린터의 상용화 단계를 가속시키기 위한 기술개발이 진행되고 있으며 이러한 기술들이 개발되어야만 완제품의 대량생산이 가능할 것으로 전망된다.

3D 프린팅은 장비 및 소재를 개발·생산하는 제조업과, 생산대행·제작 지원을 제공하는 서비스업 등 다양한 산업이 연관된 산업으로, 전후방산업으로의 파급효과가 큰 제조업의 토대이면서 향후 신산업을 이끌어갈 원동력이 될 전망이다.

따라서 스마트팩토리에 적용될 경우 과거 복수의 부품을 개별 생산해서 조립하던 공정을 일체형으로 설계하여 조립, 용접 등 일부 공정을 단축 가능하며, 기존 방식으로 구현이 어려운 복잡한 형태의 제품을 손쉽게 제작 가능할 뿐 아니라 재고를 보유할 필요가 없기 때문에 3D 프린팅은 스마트 제조의 개념에 부합하는 제조 방식이라고 할 수 있다.

장점	단점
- 시제품의 제작비용 및 시간 절감 - 다품종 소량생산에 유리 - 복잡한 형상, 내부형상을 가진 제품제작 용이 - 1개 장비로 다양한 제품 생산 - 시제품의 제작비용 간 절감 - 공정 간소화로 인건비와 조립비용 절감 - 복수의 상이한 재료를 사용한 일체 조형도 가능 - 조작자와 생산자의 기술력에 크게 의존하지 않음	- 조형속도가 매우 느리고 규모가 큰 프린팅 한계 - 표면 해상도가 아직 높지 않음 - 적층제조로 단층 방향의 힘에 약함 - 소재의 다양성에 한계가 있음 - 재료비의 가격이 비쌈 - 디자인의 전문성이 요구됨 - 지적재산권 분쟁의 소지가 있음 - 소재와 공정에 대한 표준이 정립되어 있지 않음

[표 42] 3D프린팅의 주요 장단점

3D 프린터 시장은 주로 산업용 프린터를 중심으로 성장해왔지만, 최근 규모의 경제 효과 및 기술 발전으로 인한 원가절감에 힘입어 개인용 프린터 시장의 성장이 가속화되고 있다. 따라서 오픈소스를 이용한 소규모 사업장에서 장비를 개발하고 원하는 제품을 현장에서 직접 생산, 제공하는 서비스까지 등장하고 있다. 최근 수년간 3D 적층제조 시스템 활용이 활발해진 산업분야로는 산업용 기계류가 비중이 크게 늘어났으며, 항공, 자동차, 소비재 산업, 의료, 교육 분야에 걸쳐 고르게 성장하고 있다.

3) 기술 동향[65)]

2021년 6월부터 2022년 5월까지 3D 프린팅과 관련하여 급성장한 키워드는 블록체인, 인쇄전자, 전자빔 응용, 고에너지적층, 선택적 레이저 용융이다.

① 블록체인

최근 3D 프린팅 제품의 IP 보호를 위한 블록체인의 활용이 증가하고 있다. 3D 프린팅 IP 인증과 거래, 저장에 블록체인 기술을 통합하면 저작권 데이터를 포함하여 제작자에게 워터마크를 제공할 수 있다. 워터마킹과 블록체인의 결합은 저작권과 디자인, 특허, 상업 마크의 법적 지침을 손상시키지 않는 동시에 3D로 인쇄된 개체의 라이선스를 허용한다.

Uniersity of Exeter Law School은 블록체인을 활용한 워터마킹 기술 특허를 취득했다. 해당 기술은 블록체인을 활용하여 IP를 보호하는 동시에 3D로 인쇄된 물체에 라이선스를 부여할 수 있도록 지원한다. 미국 공군은 3D 프린팅 안정성 향상을 위해 BaaS기업인 SIMBA Chain과 협력했다. 미 공군은 SIMBA Chain의 플랫폼을 활용하여 3D 인쇄 요소를 등록하고 모니터링하기 위해 블록체인 기술을 활용한다.

3D 프린팅 기술을 활용한 패션 제조의 선구자인 Danit Peleg은 자신이 디자인한 3D 프린팅 제품에 NFT를 할당하여 새로운 가치를 창출했다. Danit Peleg로부터 NFT를 구입한 사람들은 각 NFT 번호에 할당된 폴더에 접근할 수 있으며, 해당 폴더에는 인쇄 설정에 대한 지침과 개별 부품을 완성된 의복으로 조립하는 방법을 비롯한 의복 제작과 관련한 다수의 파일이 존재한다.

② 인쇄전자

전자 제품 제조 분야에서 3D 프린팅 기술의 가장 큰 이점은 비용 절감과 시장 출시 시간 단축 등이다. 3D 프린팅을 사용하면 제조업체는 새 부품을 위한 도구를 설정하거나 금형을 준비하는 데 시간을 할애할 필요가 없으며, 사전 제작은 필요한 재료를 수집하고, 설계 파일을 가져오고, 부품 제작을 위해 3D 프린터를 준비하는 것처럼 간단하게 실현할 수 있다.

또한, 설계 및 사전 생산 프로세스를 훨씬 간단하게 만들어 설계자가 제조에 대한 아웃소싱도 불필요하며 신속한 프로토타이핑을 통해 새로운 디자인을 만들고, 수정하고, 결과물을 만들어내기까지의 시간을 단축할 수 있다.

게다가 3D 프린터는 과도한 재료를 조각하는 대신 레이어별로 제품을 제작하기 때문에 3D 프린팅은 종종 기존 제조 전략보다 폐기물이 훨씬 적고 에너지를 훨씬 덜 사용한다는 장점이 있다.

65) 품목별 ICT 시장동향 3D 프린팅, 정보통신산업진흥원, 2022

활용 분야	내용
3D 인쇄 회로 기판	유전체 폴리머 잉크와 전도성 잉크를 사용하여 PCB의 양면에 부품을 배치하는 데 필요한 납땜 공정에 효과적이며 고성능 군용 센서 시스템에 유용하게 활용 가능
슈퍼커패시터 (초고용량 에너지 저장)	셀룰로오스 나노결정 기반 잉크를 사용하여 다공성 탄소 에어로겔을 3D 인쇄하고, 생성된 구조를 사용하여 영하 70도에서 작동할 수 있는 슈퍼커패시터 제작 가능
3D 프린팅 센서	저항막 및 정전용량 기술을 기반으로 하는 저렴한 센서 제조 가능
4D 프린팅 센서	3D 프린팅 기술을 활용하여 4D 프린팅의 가장 중요한 기술 중 하나인 소프트 촉각 센서 제작 가능
3D 및 4D 프린팅 액추에이터	3D 프린팅 공정을 통해 소형 로봇에 사용하기 위한 EAP(Electroactive Polymer) 매크로바이오틱 액추에이터 생산

[표 43] 인쇄전자의 활용 분야

③ 전자빔 용융(Electron Beam Melting)

전자빔 용융은 금속 3D 프린터의 주요 기술 중 하나로, 아캠(Arcam)사가 특허를 보유하고 있으며 금속 분말의 얇은 층을 전자빔을 이용해 선택적으로 용융하는 것이다. 전자빔 용융을 하는 경우 금속 분말의 얇은 층이 빌드 플레이트에 증착되며, 분말이 예열됨에 따라 전자빔이 3D 파일로 지정된 영역에서 분말 용해하며, 금속 분말의 다음 층이 증착되고 전자빔이 층을 녹여 융합한다. 이후 부품이 완료될 때까지 프로세스를 반복하며, 잉여분말을 제거하고 샌딩, 폴리싱, 오븐 가열 등의 후가공 처리를 한다.

장점	단점
• EBM을 이용하여 제작한 부품 및 시제품은 분말이 완전히 녹기 때문에 밀도가 높은 편 • 부품 또는 기능 프로토타입을 만드는 데 필요한 프린팅 시간이 다른 기술에 비해 짧은 편 • 소결되지 않아 사용하지 않은 분말은 재활용 가능 • 레이저 분말 베드 융합 기술에 비해 더 적은 인쇄 지원 필요하며 공정 시작 전에 분말을 예열하면 제조 중 보강재 및 지지 재료 불필요	• 분말 수준에서 레이저 대 전자빔을 측정할 때 전자는 레이저 빔보다 넓기 때문에 레이저로 인쇄된 부품보다 정확도 낮은 편 • 레이저 3D 프린팅에 비해 생산량이 적은 편 • 3D 프린팅을 위한 재료는 티타늄과 크롬-코발트로 제한 • 기계와 재료에 비용이 많이 들어 소규모 제조 업체에서의 활용은 제한

[표 44] 전자빔 용융의 장점 및 단점

④ 고에너지적층(Directed Energy Deposition)

고에너지적층은 원하는 전자회로 부분만을 기판이나 필름 등에 전도성 전자잉크로 인쇄하듯이 제조하는 기술이다. 3D 프린팅 중에서도 고에너지 적층 기술을 연구하는 가장 큰 산업 중 하나는 항공분야로, 폐기물과 항공기 부품 중량을 줄일 수 있으며 이를 통해 연간 수백만 달러의 연료비용을 절감할 수 있다. 작은 브래킷 및 고정 장치에서 항공기의 골격 및 외부 패널에 이르기까지 모든 것을 제조하는 데 활용 가능하며, 고에너지 적층 기술을 이용해 항공기 생산에 사용되는 다양한 재료의 프린트가 가능하다.

국방분야에서는 총기, 방탄복, 장갑차, 미사일 및 헬멧 생산에 적층 제조 기술이 주로 활용되고 있으며, 특히 고에너지 적층 기술을 활용하여 제품에 대한 파손 및 마모가 적다는 것이 장점이다.

⑤ 선택적 레이저 용융(Selective Laser Melting)

선택적 레이저 용융은 LPBF(Laser Powder Bed Fusion)이라고도 불리며, 대부분 금속 3D 프린터는 분말 금속을 녹이는 레이저를 포함하는 선택적 레이저 용융 기술을 사용한다.

장점	단점
• 사용 가능한 금속의 범위가 넓고, 지지도 없이 복잡한 모양이나 내부 구조를 구현하는 능력이 탁월 • 작업자가 이전에 여러 구성 요소 부품을 하나의 인쇄로 생성할 수 있도록 부품 통합 가능 • 적층 제조 및 분말 재생으로 인한 폐기물 가소 • 온디맨드 생산으로 재고 관리가 용이하며, 부품의 대량 주문 가능	• 전용 프린터기의 가격이 비싼편이라 진입 장벽이 높으며 부품 당 제조 비용 역시 높은 편 • 분말 제거와 지지대 제거, 표면 연삭과 같은 후처리 필요 • 작업 크기는 최대 1미터로 제한 • 보다 많은 에너지 필요

[표 45] 선택적 레이저 용융의 장점 및 단점

바. 5G[66)][67)]

1) 기술 개요

5G는 데이터 송·수신 용량과 속도 관점에서 유·무선간 차이가 없을 정도의 빨라진 '이동 통신 환경'과 기기 사용에 있어 저전력성 및 많은 기기들이 접속하는 환경에서도 서비스의 안정성을 보장하는 'IoT 통신 환경'을 동시에 구현할 수 있는 이동통신 기술 방식'이다.

크게 나누어 5G의 특징을 살펴보면, 유·무선 차이가 없는 대용량·고속 데이터 이용환경, IoT 이용 환경, 하나의 망으로 eMBB, mMTC, uRRCL를 동시에 구현하는 One Connectivity로 볼 수 있다.

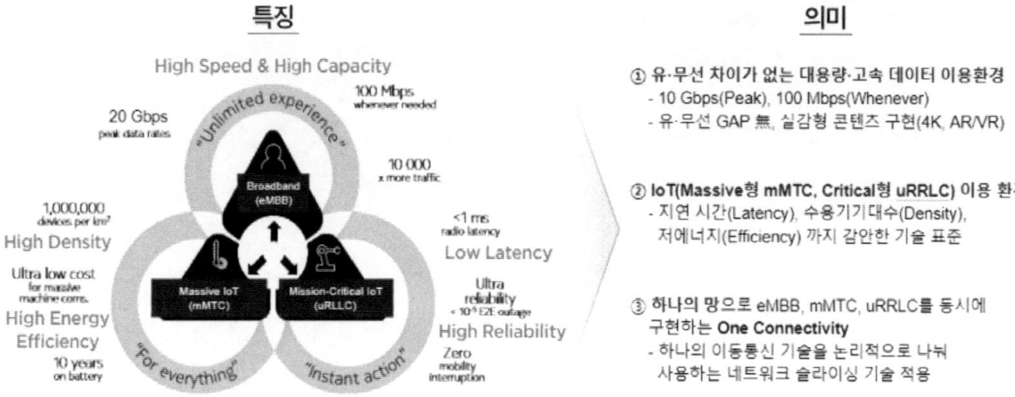

[그림 77] 5G의 특징과 의미

좀 더 구체적으로 5G의 특징은, 최대 20Gpbs 및 일상적으로 100Mbps 속도가 가능한 '고속(High Speed)'과 기존보다 1만배 이상 더 많은 트래픽을 수용하는 '대용량(High Capacity), 1평방 킬로미터 당 1백만개의 기기가 가능한 '고밀집(High Density)', 배터리 하나로 10년간 구동 가능한 '고에너지 효율(High Energy Efficiency)', 1ms(미리 세컨드) 이하의 '낮은 지연시간(Low Latency)', 이동간 제로 중단을 실현하는 '고 안정성(High Reliability)' 등 6개의 단어로 정의할 수 있다.

5G가 가진 '고속', '대용량', '고밀집', '고에너지 효율', '낮은 지연시간', '고 안정성' 등 6가지 기술적 특징으로 변화에 대한 시사점을 도출해 낼 수 있는데, 먼저 5G에서는 유·무선 차이가 없는 대용량·고속 데이터 이용환경이 가능해진다. 즉, 멀티미디어 기기에서는 4K·8K 및 AR/VR 등 실감형 콘텐츠들이 구현되며, 고해상도 대화면 TV도 굳이 셋탑 박스 때문에 특정 장소에 고정될 필요가 없어진다.

다음으로 고밀집 기기 접속 환경이 구현되어 진짜 IoT 이용 환경이 가능해 진다. IoT도 그 서비스 특징에 따라 저렴하게 많은 기기들을 접속하여 다양한 정보를 취합 및 기기를 제어할

66) 5G가 만들 새로운 세상, DNA 플러스 2019, 한국정보화진흥원
67) 5G 국제 표준의 이해, 삼성전자

수 있게 해 주는 다기기 접속형 IoT(Massive IoT)와 의료 및 자율주행차에서 사용될 수 있는 극안정형 IoT(Mission Critical IoT)로 나눌 수 있다.

과거 IoT 전용망들은 저렴하게 많은 기기를 접속할 수 있는 환경 구축에 집중한 반면, 5G는 극안정형 IoT도 가능하게 하는 등 기존 IoT 전용망이 포함하지 못한 새로운 IoT 영역까지 서비스를 가능하게 해줄 것으로 전망된다.

마지막으로, 5G 환경 속에서는 네트워크 슬라이싱 기술로 인해 위의 모바일 브로드밴드, IoT를 동시에 하나의 기술과 망으로 구현 가능하다. 이렇게 되면 과거에 4G가 포함할 수 없지만 그 니즈는 있어왔던 IoT 전용망이 5G 시대에는 존재할 필요가 없어지게 된다.

또한 스마트폰 등 모바일 브로드밴드 망을 이용한 서비스, IPTV 등과 같이 댁 내 유선 브로드밴드 망을 이용한 서비스, IoT 서비스 등이 하나로 관리되는 서비스가 가능해 더 쉽게 구현된다.

2) 산업 동향

5G는 이를 투자하고 설치해야 하는 이동통신사업자로부터 시작될 것이며, 기술 적용에서 가장 빠른 효과를 볼 수 있는 현재 가장 보편적으로 사용되는 소비재인 스마트폰 산업과 처음부터 함께해야 확대될 수 있을 것이다. 그리고 스마트폰 기기에 들어가는 반도체로 부터 연결환경이 확대되면서 다양한 통신 모듈 및 부가 기능의 반도체로 확대되는 등 반도체 산업에도 직접적으로 영향을 미칠 것이다. 또 다양한 디스플레이로 5G가 접목되면서 이 산업 역시 영향을 받을 수밖에 없다. 그리고 장기적으로는 IoT, A.I.의 확산의 기폭제가 될 전망이다.

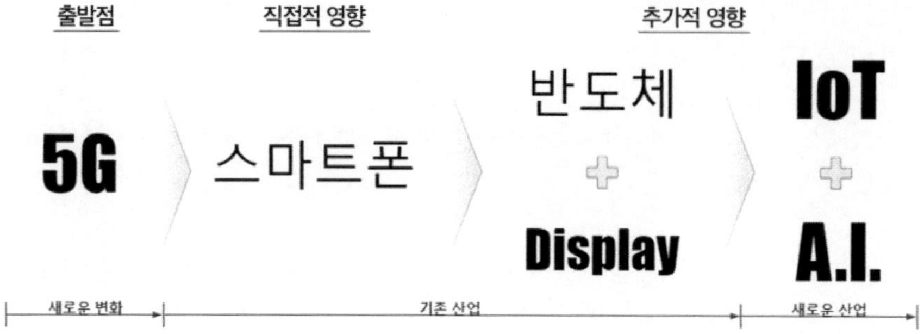

[그림 78] 5G의 향후 산업영향도

가) 반도체[68)]

반도체의 수요처(2020)는 통신기기(36%)와 컴퓨터(36%)이며 다음으로 산업재(11%), 소비자가전(9%), 자동차(8%) 순이며 2024년에도 유사한 비중을 유지할 전망이다. 통신기기와 컴퓨터(서버 포함)는 짧은 제품 수명 주기, 대규모 물량, 고부가 반도체 탑재, 반도체 탑재량 증가 등으로 2024년에도 반도체 산업에서 현 수준의 비중 유지가 예상된다. 스마트폰 교체주기는 3년, 서버 교체주기는 4년 내외이며, 스마트폰 출하량은 연 14억대이나 자동차 판매량은 0.9억대 수준이다.

스마트폰과 서버의 두뇌 역할을 담당하는 AP와 CPU는 첨단 공정에서 생산되나 가전, 차량용 반도체는 기술 수준이 높지 않은 성숙공정(Mature Node)에서 생산되어 가격 차이가 발생한다. 차량용 반도체 시장은 전기차 판매 확대 등으로 2020~2026년 연평균 약 11%의 성장이 예상되나 반도체산업에서 비중은 약 10% 수준을 유지할 전망이다.

2025년 이후에는 전기차 보급 확대, 5G 통신망 구축에 따른 관련 산업 성장 등으로 반도체 수요처 다변화 가속화가 예상된다. 전기차는 내연기관차보다 반도체 탑재량이 많고 자율주행 기능 탑재비중이 높아 반도체산업의 중장기 성장동력으로 예상된다. 5G망 구축은 스마트시티 등 다수 혁신기술의 촉매재가 되며, 5G 확산으로 대용량 데이터 처리를 위해 메모리반도체, AI 반도체, 전력관리반도체 등이 성장할 전망이다. AI가 생성하는 데이터는 2017년 80EB(엑사바이트, 1018)에서 2025년 845EB로 10배 이상 증가할 전망이다.

68) 반도체산업 중장기 전망, 이슈보고서, 한국수출입은행, 2021.04

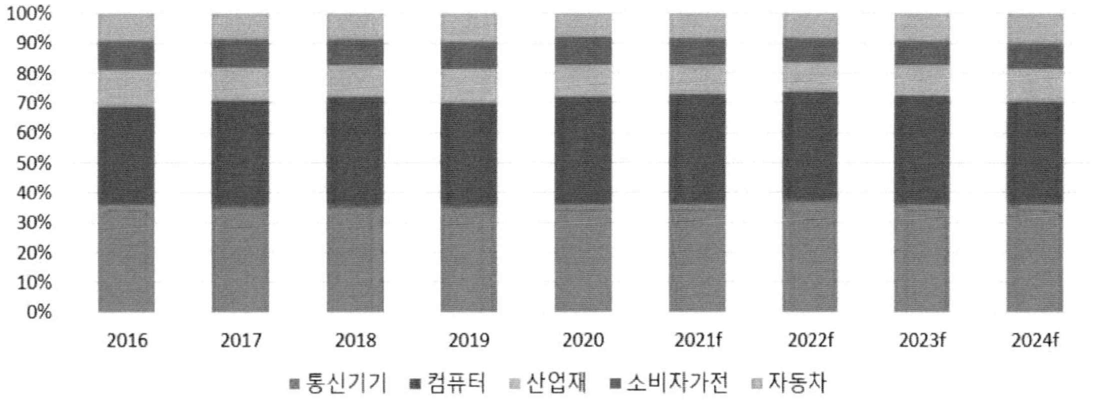

[그림 79] 반도체 수요처별 비중

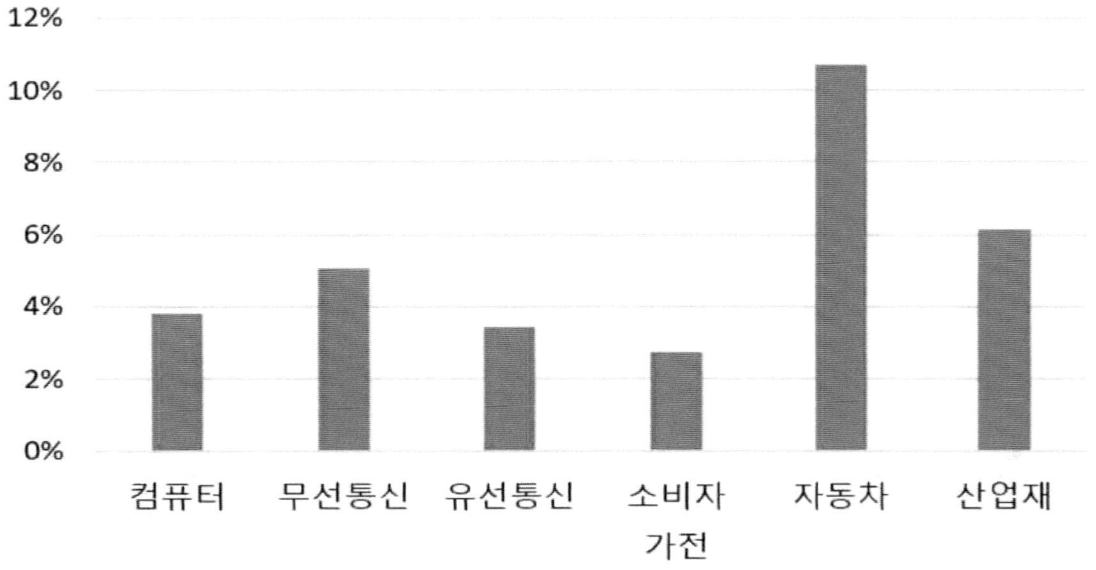

[그림 80] 반도체 수요처별 연평균 성장률(2020~2024)

나) 디스플레이[69)70)]

5G 확대와 함께 4K, 8K, AR, VR 등 실감형 멀티미디어 콘텐츠 구현이 가능해진다. 우선 TV 관점에서 볼때 4K를 넘어 8K가 도쿄 올림픽을 기점으로 확대될 것으로 보인다. 또한 5G 시대를 맞이하여 퍼블릭 디스플레이 시장도 대형 사이니지 중심으로 성장할 것으로 기대된다. 그리고 장기적으로는 빌딩 유리 자체도 사이니지의 영역으로 확대 적용될 수도 있다.

69) 5G 시대의 실감미디어 콘텐츠 유통환경 및 제작기술 변화, 정보통신산업진흥원, 2019.08
70) 폴더블폰: 세상을 펼치다. 대신증권

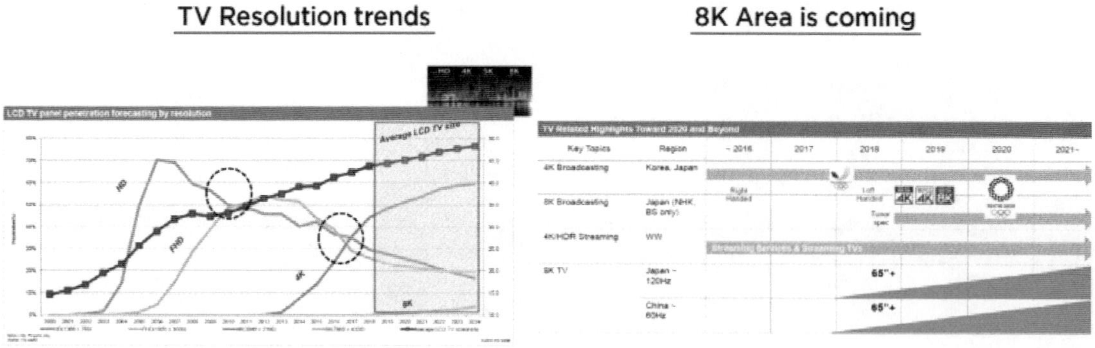

[그림 81] TV 시장의 해상도 추이와 8K 도래

5G 통신은 기존 4G(LTE) 대비 20배의 전송속도를 제공하여 이용자 체감 전송속도는 10배 이상이며, 전송지연(레이턴시)은 1/10 수준으로 단축했다. 초당 20기가 바이트의 전송능력은 8K급 다면영상에서부터 홀로그램, AR(증강현실)/VR(가상현실) 등의 사실감 높은 초고화질 서비스를 실현하도록 돕는다.

특히, 8K(7680x4320) 영상은 4K(3840x2160) 영상에 비해 데이터 트래픽이 4배 증가하며 다면영상의 경우 스크린의 숫자에 비례하여 지속적으로 증가하게된다. 하지만, 5G는 엣지클라우드 컴퓨팅을 통해 1ms 이하의 초저지연을 구현했기 때문에, 실시간 상호작용이 가능한 인터렉션 구현이 가능하다.

또한, 데이터 전송속도의 제한으로 인해 저화질(1k급)로 서비스되었던 360˚ VR 콘텐츠도 4k급 이상의 화질로 장소의 제약없이 자유롭게 이용이 가능하며, 그동안 전송속도 제한과 처리속도의 한계로 시도되지 못했던 일상생활 속에서 삶의 방식을 크게 향상시킬 킬러 콘텐츠의 제작이 가능해졌다.

이처럼 여러 산업분야에서 5G를 새로운 비즈니스 기회로 주목하고 있으며 이를 활용한 교육, 쇼핑, 여행, 게임, 공연 등 실생활 밀접 분야에서 삶의 방식을 향상시킬 것으로 예상된다. 유튜브, 넷플릭스 등 글로벌 OTT들은 서비스 차별화를 위해 영상 콘텐츠의 몰입감을 제공하는 VR 전문 채널을 개설하는 등 VR 서비스를 확대하고 있다.

현재 Netflix를 비롯한 Apple TV, Hulu, Amazone 등의 해외사업자들은 다양한 형태의 VR 앱과 채널을 서비스하고 있으며, 또한, 상호작용을 극대화하여 이용자의 선택에 따라 내용의 진행과 결말이 달라지는 VR 인터랙티브(Interactive) 드라마 등의 콘텐츠가 등장하고 있다.

최근 유튜브, 페이스북이 주요 프로스포츠 중계권을 확보하고 360 VR 방송을 서비스하는 등, 스포츠 중계가 모바일 기반 360 VR 전송으로 변화하고 있다. 유료 스포츠 채널인 ESPN의 OTT 서비스 'ESPN+' 역시 UFC 대회 독점 중계권 확보하고 런칭했으며 10개월 만에 가입자 200만을 확보하는 등 OTT 기반 스포츠 스트리밍 수요가 상당함을 입증했다.

또한, 아마존 등 글로벌 전자상거래 기업들도 막대한 빅데이터 기반의 온라인 AI 추천 서비스, VR 키오스크(Kiosk) 등의 새로운 SW기술을 적극 도입 중에 있다. 이러한 OTT의 플랫폼 유연성에 5G의 초고속, 저지연 기술이 더해져 VR 쇼핑 등 VR 커머스를 도입한 쇼핑산업 등에 실감형 서비스 등장이 예상된다.

다) 제조업[71)]

5G는 부분적으로 자동화된 공장 內 설비의 완전 자동화뿐만 아니라 전체 제조 공급 사슬을 연결하여 산업전반의 생산성 향상에 기여할 것으로 보인다. 현재 자동화 수준은 제조라인의 로봇화로 진행되고 있으며, 가장 많이 적용된 영역은 자동차 산업이다. 향후 5G 확대로 공장 내외 연결성이 확대되면 무인 공장 및 전 제조 영역의 자동화 등이 확대될 것이다. 스마트 제조의 다양한 시나리오와 5G 무선 통신 네트워크의 세 가지 필수 통신유형을 고려하여 제안된 3 가지 5G 기반 스마트 제조 애플리케이션을 살펴보면 다음과 같다.

(1) mMTC-based Smart Manufacturing application scenario

스마트 제조의 경우 여러 다른 종류들로 이뤄진 생산 인자의 스마트 상호연결은 제조 장비(예: 공작 기계, 로봇 암, 사료 공급기), 보조 장비 제조 (예: 급수 설비, 가스 공급 설비), 추적 자원 (예: 자재, 제품 작업자, 작업자) 및 현장 환경 (예: 온도, 습도, 먼지, 유해 가스)에 대한 실시간 모니터링을 실현하기 위한 사이버-물리적 제조 시스템을 구축하기 위한 기반이다. 여러 다른 종류들로 이뤄진 생산 요인의 스마트 상호연결은 주로 두 가지 제조 시나리오, 즉 현장 내 여러 다른 종류들로 이뤄진 생산 요인의 실시간 데이터 수집과 생산 요인의 식별 및 위치를 포함한다.

그러나, 감시할 노드는 매우 많으며, 현재의 3G 및 4G 전송 네트워크는 그러한 대규모 노드로 제조 시나리오를 지원하기 어렵다. 반면에 작업 현장과 여러 다른 종류들로 이뤄진 데이터 구조의 다양한 생산 요소 때문에 현재의 4G와 다른 기존 네트워크는 대규모 통신 네트워크의 IIoT 시나리오에 적합하지 않다. 위의 제조 시나리오를 실현하기 위해 밀리미터파 전파를 이용한 5G 전송 기술은 안테나 배열 등 다수의 소형 안테나를 필요로 한다. 효율적인 공간분할 다중접속(SDMA)기술로 송신기와 수신기의 주파수 재사용을 개선할 수 있다. 다중 빔포밍은 동채널 간섭을 줄이고 링크 품질을 개선하며 전방향 전송을 순응적으로 고방향 방사선 패턴으로 변환하는 동시에 특정 방향에서 이득을 최적화한다.

원격 센터에 기반 대역 자원을 집중시키는 네트워크 아키텍처는 통계적 멀티플렉싱 이득, 대역폭 절감 및 에너지 절약의 이점을 가지고 있다. 이에 따라 5G 무선통신 기술이 지능형 제조에서 대규모 기계 노드 통신 시나리오의 적용 요건을 충족시킬 수 있도록 통신 범위와 연결 노드 수가 크게 개선되었다.

---

71) 5G와 스마트 제조, 홍승호, 한양대학교

(2) URLLC-based Smart Manufacturing application scenario

스마트 제조의 일반적인 적용 시나리오는 작업현장에서 여러 다른 종류들로 이뤄진 생산 요소를 네트워크로 공동 생산하는 것이다. 제조 작업현장에서는 자동화 기술이 광범위하게 적용되면서 대규모 자동 생산 라인의 건설이 시급하다.

한편으로 제품이나 부품의 제조 공정은 많은 하위 공정을 포함하며 생산 라인의 다른 제조 장비는 다른 처리 작업에 책임이 있다. 특히 조립 라인의 경우 공동으로 처리작업을 완료하기 위해 순서가 지정된 작동지침이 적절한 시점에 관련 제조장비로 발행된다. 반면에 기계 구조와 처리 작업의 한계 때문에 하나의 로봇은 보통 복잡한 처리 작업(로봇이 협력하여 조립하는 것과 용접 등의 이중 작업)을 수행할 수 없다. 또한 가혹한 환경에서 일부 제조 시나리오는 종종 특정 제조 작업을 위한 여러 로봇의 공동 운용을 원격으로 제어해야 한다. 이러한 제조 시나리오는 제어실과 작업현장 장비 간 양방향 데이터 전송 및 제어 지시를 위해 정확한 데이터 전송 및 매우 짧은 대기 시간을 요구한다.

그러나 3G 및 4G 네트워크는 산업 자동화를 위한 높은 신뢰성과 짧은 대기시간의 시간 요구사항을 충족하기 어렵다. 위의 제조 시나리오를 실현하기 위해 다수의 소형 안테나가 있는 SDMA기반의 안테나 배치는 순응적으로 높은 방향 방사선 전송을 구현하고 특정방향으로 이득을 최적화할 수 있다. 안테나 배열은 다중 빔포밍 기술을 사용하여 공동 채널 간섭을 줄이고 링크 품질을 개선함으로써 전송 신뢰성을 개선한다. 또한 기기 통신(D2D) 기술 덕분에 기계 간 통신은 기지국을 통하지 않고 직접 통신하므로 통신 신뢰성은 보장하고 통신 지연 시간은 크게 줄일 수 있다.

(3) eMBB-based Smart Manufacturing application scenario

제조업에서 가상현실과 증강현실(특히 후자)은 점점 주목을 받고 있는 추세며 이는 가상 정보가 동일한 실제 환경에 중첩되고 두 가지 모두 서로 보완된다는 것을 의미한다.

우선 가상현실과 증강현실을 제품 설계 과정에서 활용할 수 있다. 설계한 가상 모델은 실제 장면과 상호 작용하고 반복되므로 설계를 완료하기 전에 제품 모델의 시뮬레이션, 분석 및 검토를 보다 잘 수행할 수 있다.

둘째로 제조 공정에서 가상 현실과 증강 현실의 기술로 운영 단계와 프로세스는 조립 작업자에게 직관적으로 제시되어 생산 효율을 높이고 오류를 줄일 수 있다. 또한 제조 장비의 고도의 통합 및 복잡성과 함께 유지 보수 및 수리가 점점 더 어려워지고 있으므로 가상 현실과 증강 현실의 도움으로 작업자는 실시간 유지 보수 제안을 받을 수 있다.

그러나 가상현실 및 증강현실에 기반한 제조 시나리오에서 전송되는 데이터는 막대한 양의 스트리밍 미디어 데이터에 속한다. 따라서 가상 현실 / 증강 현실과 제조 프로세스 간 원활한 연결을 위해 최신 3G 및 4G 기술보다 빠른 전송 속도와 대기 시간이 짧은 새로운 통신 기술이 필요하다.

위의 선진 제조 시나리오를 실현하기 위해 5G eMBB의 높은 주파수 특성은 4G 무선통신 네트워크보다 더 높은 대역폭과 빠른 전송 속도를 제공한다. 밀리미터파의 모든 주파수 대역에서 28GHz와 60GHz는 5G에서 가장 유망한 주파수 대역이다. 무선 통신의 최대 대역폭은 캐리어 주파수의 약 5%이므로 4G 무선 통신보다 10 배 빠른 전송 속도를 쉽게 달성 할 수 있다.

또한 클라우드 무선 액세스 네트워크(C-RAN)와 소프트웨어 정의 네트워크(SDN) 아키텍처에 기반한 5G 무선 통신은 제어부(C-Plane)와 데이터부(D-Plane) 간에 느슨하게 결합된 제어 모드를 제공하여 유효한 데이터의 전송 효율을 개선한다.

3) 기술 동향

가) 5G 주요기술[72)]

(1) 5G 코어망

이동통신 코어망은 기존 3G는 WCDMA, 4G는 LTE와 같이 세대를 대표하는 네트워크 코어 기술 기반으로 발전해왔다. 5G 코어망은 두 가지 방식으로 구현될 수 있는데, 비단독 모드(Non-Standalone, NSA) 방식과 단독 모드(Standalone, SA) 방식이다. 먼저 NSA 방식은 네트워크 가상화의 원리를 적용하여 LTE망과 5G망을 단일 네트워크처럼 활용하는 기술로 5G 과도기에 5G를 점진적으로 도입할 수 있도록 5G 초기 상용화를 위해 설계된 방식이다. 반면에 SA 방식은 5G기반 새로운 기지국과 새로운 코어망을 구축하여 현재 4세대 LTE 시스템과 연동이 필요없이 곧바로 5G 성능을 제공하여 5G로의 빠른 전환을 이끌어낼 수 있다.

항목	비단독모드(NSA)	단독모드(SA)
용도	4G/5G 혼합 사용	5G 단독 사용
코어시스템	EPC(P-GW, S-GW) / LTE코어망	NG Core /5G 코어망
기지국	LTE eNB (기존 이동통신망 기지국으로 비 밀집지역의 4G/5G 공동활용)	5G NR (5G 전용 기지국)
장점	차세대 망으로의 안정적 전환	차세대 망으로의 빠른 전환
단점	환전 전환 시 까지 성능적 한계 보유	전국망 구축 시까지 일부 지역만 서비스가 제공되는 한계

[표 46] 비단독모드(NSA) vs. 단독모드(SA) 비교

NSA 방식은 기본적으로 하나 이상의 송수신 연결을 지원하는 단말기기가 하나 이상의 기지국의 자원을 활용할 수 있는 기술로 Dual Connectivity(DC) 기술이라고 하며 이는 4세대 LTE 표준에서 제정되고 구현된 기술을 기반으로 한다. 4G의 용량 증대를 위해 원래 사용하던 주파수 대역 외에 할당된 추가 주파수 대역의 기지국과의 동시 연결을 위해 구현되었으며, 기본적으로 원래 사용하는 주파수 대역보다 높은 주파수 대역 사용을 위해 커버리지가 작은 스몰셀(small cell) 기지국 사용이 가능하다.

현재 우리나라 이동통신사업자에 의해 상용화된 NSA 방식은 네트워크 구성요소 중 무선 기지국만 5G 표준을 준수하고 기존 LTE네트워크에 추가로 5G 3.5GHz 주파수 대역을 활용해 통신속도를 1~2Gbps 수준으로 높이는 효과는 있지만, 5G 성능 목표인 1ms(0.001초) 의 초저지연 성능을 구현하는 데는 한계가 있다.

72) 5G 기술·산업 현황 및 향후 비전, KPC4IR, KAIST, 2020

SA 방식은 네트워크의 모든 구간을 5G 표준에 따라 구현하기 때문에 LTE망과 연동 구간이 필요없어, 5G 요구 성능이 전반적으로 달성가능하며 5G 핵심 기술 중 하나인 서비스별 성능의 최적화를 위한 네트워크 슬라이싱 기술도 가능하게 된다. NSA 방식 대비 2배 빠른 통신 접속 시간, 3배 높은 데이터 처리 효율이 예상되며 가상현실과 증강현실 등 대용량 실감미디어 전송 뿐만 아니라 자율주행 차량통신, 스마트팩토리 등 초저지연, 초고신뢰도를 요구하는 서비스들도 가능해져 진정한 5G 서비스의 구현이 시작된다고 볼 수 있다.

(2) 네트워크 슬라이싱

5G 사용 시나리오에 따르면, 초광대역 무선통신 서비스 (eMBB: enhanced Mobile Broadband), 고신뢰/초저지연 통신 서비스 (URLLC: Ultra Reliable & Low Latency Communications), 대규모 기기연결 기반 서비스(mMTC:Machine-Type Communications) 서비스 등 각기 다른 서비스 요구 성능에 따라 특화된 통신망이 필요하다. 기존에는 각 서비스 요구 성능에 따라 별도의 특화된 네트워크를 구축하여 서비스를 제공하였지만, 5G는 이러한 전혀 다른 성격의 서비스가 하나의 망에서 실현되어 망이용의 효율을 극대화하며, 상호간 융합 및 연동을 용이하게 하기 위해 하나의 통신망을 쪼개어 사용한다는 개념의 '네트워크슬라이싱(Network Slicing)'이 도입되었다. 슬라이싱 된 네트워크는 각각의 서비스에 서로 영향을 미치지 않으며 요구되는 서비스 성능을 구현할 수 있는데, 네트워크슬라이싱의 핵심 기술은 네트워크기능가상화 (Network Function Visualization, NFV) 기술과 소프트웨어정의네트워크 (Software Defined Network, SDN) 기술을 꼽을 수 있다.

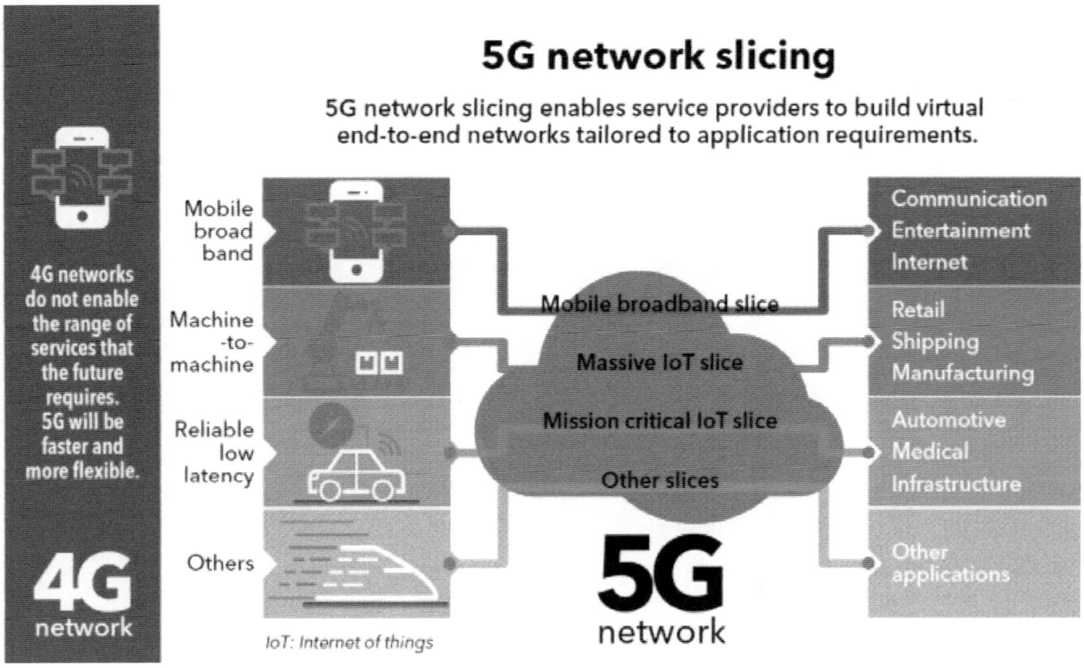

[그림 82] 5G 네트워크슬라이싱 개념도

(가) 네트워크 가상화(Network Function Visualization, NFV) 기술

네트워크 가상화는 이러한 SDN 기술을 기반으로 구현된다. 즉, 소프트웨어적으로 정의된 다양한 네트워크 기능을 가상화하여 클라우드 기반의 가상머신이나 컨테이너, 또는 범용 프로세서를 탑재한 하드웨어에서 구동하고 이를 통해 새로운 장비의 설치가 없어도 추가적인 네트워크 기능 설정 및 각각 다른 네트워크 기능을 가진 서브그룹으로의 이동이 가능하게 된다. 최근 국내 이동통사는 글로벌 IT기업들과 함께 5G 네트워크 가상화 구현을 위한 글로벌 협력체계를 구축하여 5G 신규 서비스 및 기능을 신속하게 상용화 할 수 있도록 노력하고 있다.

(나) 소프트웨어정의네트워크(Software Defined Network SDN) 기술

통신네트워크는 각각의 기능과 목적에 따른 다양한 장비들로 구성된다. 예를 들면 네트워크를 통해 전송되는 패킷의 경로를 위한 라우터, 서로 다른 네트워크 사이의 속도나 프로토콜 호환을 위한 게이트웨이, 그 외 스위치, 브리지 등 다양한 전용 장비등이 있다. 기존에는 이러한 장비들이 모두 하드웨어 기반으로 운용되었으나 소프트웨어 기술이 발전하며서 이제는 점차 소프트웨어 기반의 장비로 전환되고 이렇듯 소프트웨어적으로 각각의 기능과 목적을 세팅하고 장비의 운용을 유연하게 사용하는 기술을 소프트웨어정의네트워크 기술이라고 한다.

(3) 모바일 엣지 컴퓨팅(Mobile Edge Computing, MEC)

엣지컴퓨팅은 클라우드와 같이 중앙서버에 있는 컴퓨팅 파워를 이용하는 게 아닌 네트워크의 가장자리의 단말 장치로 사용자나 디바이스가 연결된 부분의 컴퓨팅 파워를 사용한다는 의미에서 정의 내려졌다. 다른 말로는 포그(Fog) 컴퓨팅이라고 부르기도 한다. 기존 네트워크의 경우 대용량, 고성능을 필요로 하는 기능에 대해 중앙집중식으로 처리하는 네트워크를 구성하였으나, 이는 대규모 인프라 투자비용, 처리용량의 과부하, 거점단위 트래픽 불균형, 데이터 통합 처리에 따른 지연율 및 보안 이슈 등을 해결하기가 어려웠다. 그러나, 최근 컴퓨팅 자원이 집적화되면서 분산 자원의 처리 성능이 높아지고, 5G 광대역 기반의 부가서비스 제공이 가능해지면서 분산처리 환경을 통한 서비스 구현이 실효성을 갖게 된 것이다.

MEC가 5G의 코어 기술로 주목받는 이유는 5G네트워크는 IoT 기기와 클라우드 간 막대한 데이터 전송을 담당하여야 하는데 특히 자율주행 차량통신과 같은 URLLC 시나리오타입 서비스의 경우 초저지연 성능이 매우 중요하다. 이러한 상황에서 MEC는 유선망을 거치지 않고 사용자와 가까운 위치에서 데이터 송수신을 처리하므로 물리적인 데이터 전송 구간이 단축되며 5G의 초저지연 성능을 극대화시켜줄 수 있다. 또한 중앙저장장치에 데이터를 전송할 필요가 없어 해킹의 위험도 낮춰줄 수 있다는 장점이 있다. MEC를 구현하기 위해서는 통신인프라를 제공하는 통신사업자, 네트워크 및 컴퓨팅장비를 제공하는 제조사, 가상 인프라를 기반으로 클라우드 서비스를 제공하는 클라우드 서비스 사업자(Cloud Service Provider: CPS) 의 협력적 참여가 필요하다.

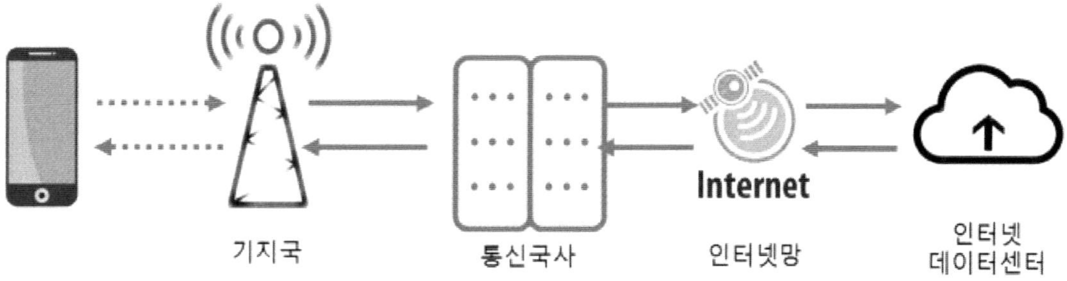

[그림 83] 일반 네트워크 전송방식

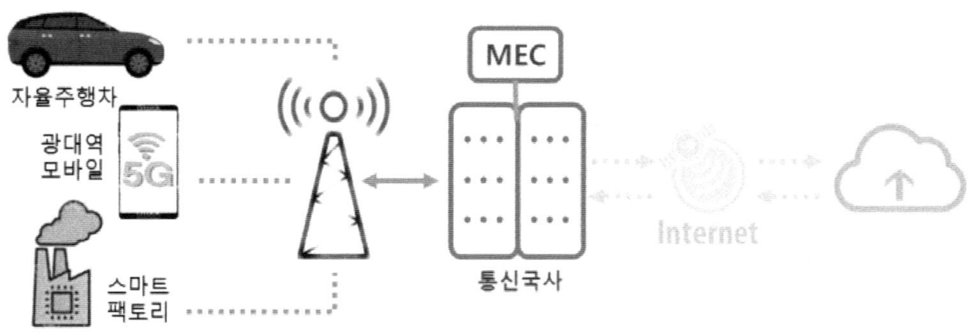

[그림 84] 5G-MEC 전송방식

(4) 빔포밍 기술

초고주파는 이전에 국제적으로 사용 빈도가 크지 않았었기 때문에 각 국가별로 광대역 확보가 상대적으로 용이하지만 물리적 특성상 낮은 주파수에 비해서 멀리까지 전파되지 못하고 장애물 등을 통과하는 투과력이 상대적으로 약한 특성이 있다.

이러한 초고주파의 물리적 특성을 극복하기 위해 수십 개 이상의 많은 안테나를 활용하는 빔포밍 (beamforming) 기술을 5G표준 기술로 도입하였다. 빔포밍 기술은 많은 수의 안테나에 실리는 신호를 각각 정밀하게 제어하여 특정 방향으로 에너지를 집중시키거나, 또는 반대로 특정 방향으로 에너지가 나가지 않도록 조절이 가능한 기술로서 전파의 에너지를 집중시켜 거리를 늘리고 빔(Beam) 간에는 간섭을 최소화 시킬 수가 있다.

안테나를 많이 사용할수록 빔의 모양이 예리(sharp)해져서 에너지를 더 집중 시킬 수 있으나 단말이 빠르게 이동하는 경우 이렇게 예리한 빔을 계속 정확하게 추적(tracking)해야 하는 것이 기술적 관건이 된다.

[그림 85] 빔포밍 기술 개념도

(5) Massive MIMO

수 많은 안테나 배열 (Massive Antenna Array)을 활용하여 같은 무선 자원을 여러 명이 동시에 사용하는 Massive MIMO(Multi-Input Multi-Output)도 5G 표준에 도입되었다.

4G에서도 MIMO 기술이 사용되었으나 적은 수의 안테나를 사용하여 빔이 예리하지 못해 사용자 구분에 한계가 있었고 1차원(1D) 안테나 배열을 사용하였기 때문에 자유도(degree of freedom)가 낮아 수평방향(horizontal) 사용자만 구분하는데 그쳤다.
그러나 5G에서는 수십 개 이상의 안테나를 2차원(2D)으로 배치해 수직-수평(horizontal & vertical) 방향 모두 사용자를 구분할 수 있어 더 많은 다중 사용자를 동시에 지원할 수 있는 규격을 제공한다.

[그림 86] Massive MIMO 기술 개념도

나) 6G[73)]

과학기술정보통신부는 2020년 8월, 2030년 사이에 상용화가 예상되는 6세대 이동통신(6G) 관련 산업과 시장에서 주도적인 위치를 선점하기 위한 '6G 이동통신 R&D 추진전략'을 발표했다. 미국과 중국, 일본, 유럽 등 해외 주요국 역시 불확실한 향후 기술환경 변화에 따른 6G 기술과 글로벌 시장 선도를 위해 국가 주도의 6G R&D를 이미 착수하였으며, 미국은 특히 THz 고주파수 대역 기술 확보를 위한 프로젝트 착수 등 본격적인 6G R&D에 돌입하였다.

미국 방위고등연구계획국(Defense Advanced Research Projects Agency, DARPA) 은 5G가 상용화도 되기 이전인 2018년 7월 6G 연구개발에 착수하였고 FCC는 5G 이후의 기술 개발을 위해 95GHz ~ 3THz 대역을 연구용으로 개방하였다.

중국의 경우 중국공업정보화부 IMT-2020(5G) 추진팀은 2020년부터 6G 연구개발을 본격적으로 시작하여 2030년 상용화를 목표로 제시하였고, 2019년 11월 국가 6G 기술 연구개발 추진 업무팀을 출범해 국가 주도의 6G R&D를 공식화하였다. 유럽의 경우 유럽연합집행위원회(EC)는 포괄적인 산업 전략을 위한 기본 구상에 6G 관련 내용을 포함하여 스마트 네트워크 및 서비스 분야의 연구와 혁신을 포함하는 전략적 유럽 파트너십 구축을 목표로 하고 있으며 6G에 새롭게 포함될 인공지능, 양자 컴퓨팅 등 새로운 표준을 도입하기 위한 논의를 시작하였다. 특히 핀란드 오울루 대학 (University of Oulu) 등 민간 연구기관의 연구도 활발하게 이루어지고 있는데, 오울루 대학은 이미 2018년 6G 관련 R&D를 위한 6G 개발 생태계인 6G Flagship15을 설립하고 핀란드의 주요 연구기관과 기업을 참여시켜 유럽의 6G R&D를 선도하고 있다.

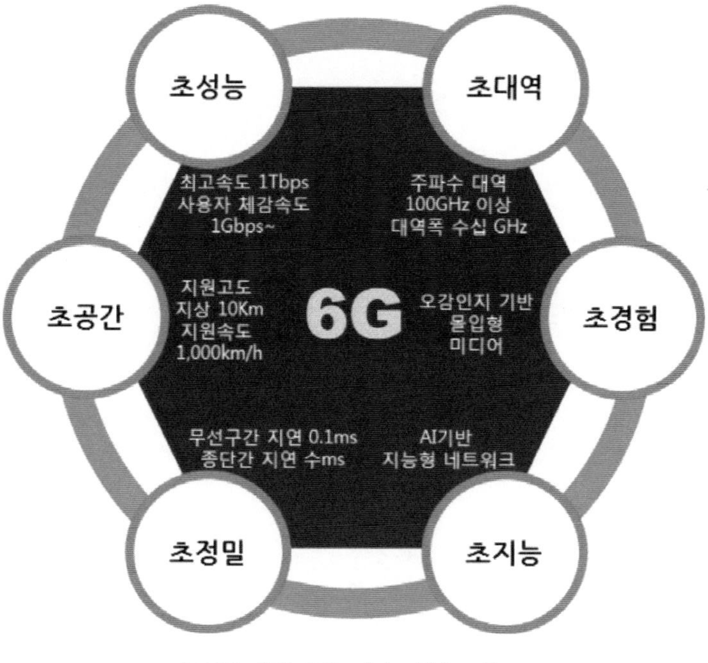

[그림 87] 6G 기술 성능 목표

---

73) 5G 기술·산업 현황 및 향후 비전, KPC4IR, KAIST, 2020

우리나라도 2019년 6G R&D 예비타당성 조사가 통과 하면서, 본격적인 6G 연구개발 전략이 수립되었다. 과학기술정보통신부가 발표한 6G 기술은 초고속 (Tbps급), 초저지연 (최소 5ms급) 및 인공지능 기술이 결합된 초지능, 초정밀, 초대역, 초성능 등 6대 중점 기술을 포함하고 있으며, 2030년 상용화가 예상되는 6G 기술 및 시장 선점과 핵심 부품의 국산화를 위해 6G 핵심기술 개발, 국제표준 선도, 부품 및 장비 개발에 집중할 것으로 보인다. 이를 위해 과학기술정보통신부는 6개 중점 기술 성능 목표 달성을 위한 전략과제를 선정하고 2021년부터 8년간 6G R&D를 위한 투자 계획을 수립하였다.

중점분야	전략과제	주요성과물
초성능	Tbps 무선통신	Tbps급 무선통신 기술
	Tbps 광통신	Tbps급 광통신 기술
초대역	THz RF 부품	고출력 저잡은 전력증폭기, Sub THz 트랜시버
	THz 주파수	대역별 전파모델 및 DB
초정밀	종단간 초정밀 네트워크	초저지연, 고정밀 패킷 포워딩 H/W 모듈
초공간	공간 이동통신	3D 이동체 프로토콜 SW
	공간 위성통신	위성/지상 통합 액세스 및 탑재체 기술
초지능	지능형 무선 액세스	자동화 및 지능형 시스템
	지능형 네트워크	
초신뢰	6G 품질 상시보장 보안 기술	6G 품질을 보장하는 내재화된 보안기술

[표 47] 6G 핵심기술개발 주요 내용

또한, 5G+ 전략산업 및 서비스를 통해 개발되어진 장비나 부품을 6G 환경에서도 활용할 수 있도록 고도화 시키는 연구개발도 지원될 예정이다. 6G 원천기술 개발을 위한 정부의 적극적인 지원은 5G에 이어 6G에서도 조기 상용화 효과를 극대화하고, 원천기술의 국제표준특허 확보를 통해 ICT 글로벌 리더십을 지속 확보하겠다는 목표를 달성하기 위함이다.

4. 스마트팩토리 시장동향

4. 스마트팩토리 시장동향

가. 해외시장

글로벌 경제의 저성장 기조와 생산성 하락으로 인해 신성장 동력이 필요한 가운데 주요국 및 기업들의 4차산업혁명 대응 및 산업 경쟁력 강화를 위해 산업인터넷, 스마트팩토리에 대한 관심이 증가했다. 스마트팩토리의 세계시장규모는 2020년 2,845억 달러에서 2025년 4,165억 달러로 성장할 것으로 전망된다.

구분		2020	2021	2022	2023	2024	2025	CAGR ('20~'25)
공급산업	디바이스	87.0	92.8	99	105.6	115.7	123.5	6.7%
	ICT	197.7	213.9	231.4	250.3	270.8	293	8.2%
수요산업		284.5	306.7	330.4	355.9	386.5	416.5	7.8%

[74]

[표 48] 스마트팩토리 세계 시장규모 및 전망 (단위: 십억달러, %)

마켓 앤 마켓(Markets & Markets)에 따르면 글로벌 스마트 팩토리(제조) 시장규모는 2022년까지 매년 9.3%씩 성장해 2054.2억 달러 시장 규모가 형성될 것으로 전망한바 있다. 특히 한국의 시장 규모는 2020년에는 78.3억 달러, 2022년까지는 127.6억 달러로 예상돼, 연간 12.2%의 높은 성장률로 아시아 지역에서 중국에 이어 두 번째로 빠른 성장 속도를 보일 것으로 예상되고 있다.

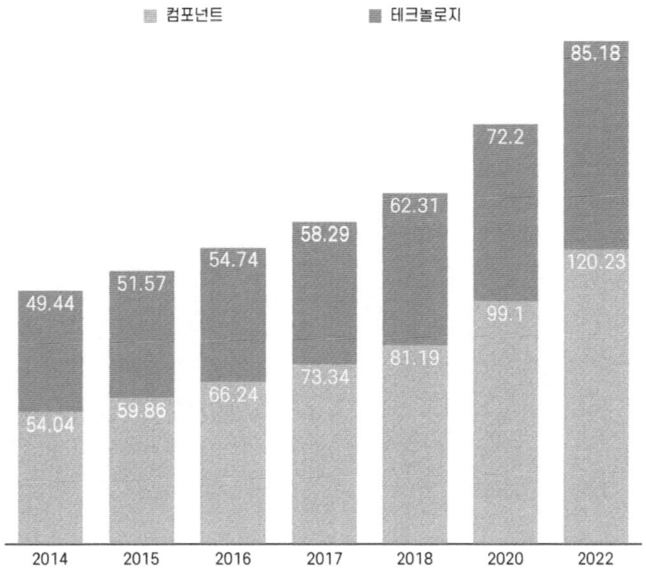

[그림 89] 글로벌 스마트제조시장규모 (단위: 억달러)

74) 스마트팩토리 중소,중견기업 기술로드맵 2017-2019, 중소기업청

지역별 스마트 제조 시장 현황을 분석하면 아시아 및 중동이 미주 및 유럽보다 높은 성장세를 나타낼 것으로 보인다. 아시아의 경우 세계 주요 기업들의 제조 공장들이 많이 위치하고 있기 때문에 이러한 기업들에 의한 스마트 제조 도입이 타 지역에 비해 빠를 것으로 예상된다. 중동의 경우 원유 수출 등으로 마련한 막대한 자금으로 자국의 제조업을 본격적으로 육성할 것으로 보이며 최신 설비를 갖춘 스마트 제조 도입이 이뤄질 것으로 전망된다.

특히 2020년부터는 중국이 미국을 능가하는 최대 시장으로 성장할 전망이며, 아시아·태평양(APAC)지역이 2015년 이후 최대 시장으로 자리 매김하고 있으며, 2024년 이후 절반에 가까운 규모에 도달할 것으로 전망하고 있다.75)

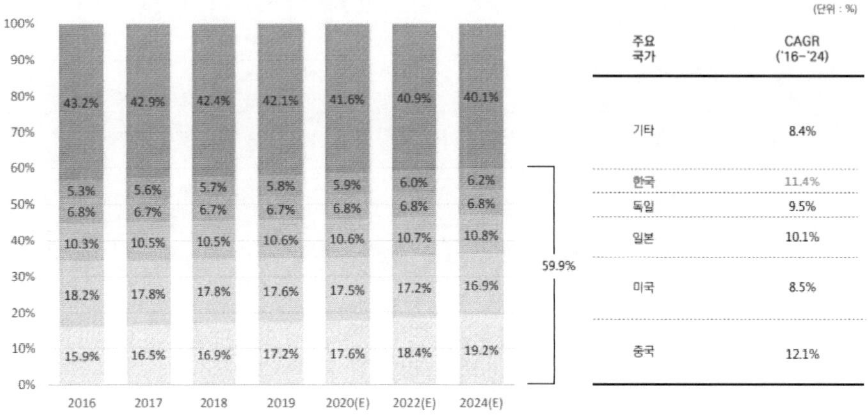

[그림 90] 스마트팩토리 시장 전망

Statista는 2019년도에 1,537억 달러 규모의 글로벌 스마트팩토리 시장이 9.6%의 고도성장을 통해 2024년 2,440억 달러 규모로 성장할 것으로 전망했다. 76)

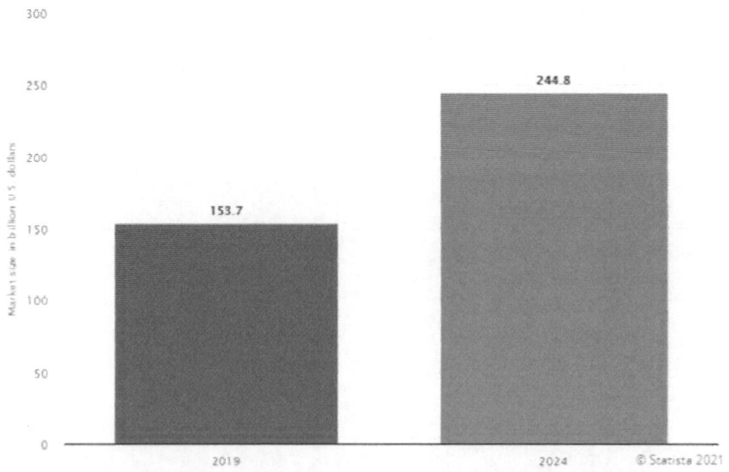

[그림 91] 스마트팩토리 글로벌 시장규모

75) 스마트팩토리 산업의 이해와 투자전망, KITIA, 2020
76) 2021년 2월 스마트팩토리 국내외 동향 리포트, 스마트제조혁신협회, 2021

나. 국내시장

스마트팩토리의 국내시장 규모는 2020년까지 78.3억 달러에서 2025년 139억 달러에 달할 전망이다.

구분	2020	2021	2022	2023	2024	2025	CAGR ('20~'25)
국내시장	78.3	87.8	98.5	110.5	123.9	139	12.2%

[표 49] 스마트팩토리의 국내 시장규모 및 전망

국내 스마트 제조 시장 중 특히 우리나라는 2022년 3만 개 보급·확산사업에 힘입어 중소·중견기업 중심의 스마트 팩토리 구축으로 시장이 활황을 맞이하고 있으나, 아직까지는 소프트웨어(SW) 위주로 보급 중이다. IoT와 CPS 등 스마트 제조 기술의 고도화를 지향하는 솔루션은 대기업을 중심으로 시범 도입되는 단계에 머물러 있고, 성공 레퍼런스가 부족한 상황으로 평가받고 있다. 한국은 제조업이 국민 총 생산에서 차지하는 부가가치 비중이 중국(31%) 다음으로 높게 조사되었다. 따라서 스마트팩토리를 적용할 경우 더욱 높은 부가가치를 창출할 수 있을 것으로 전망된다.

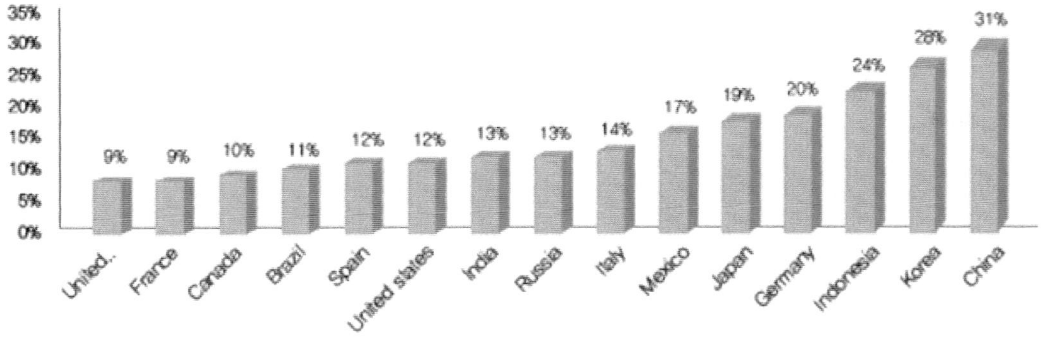

77)

[그림 92] 제조업 부가가치 비중

'코로나19' 사태는 오히려 4차 산업혁명 기술의 빠른 발전을 가져왔고, 해당 기술과 직접적 연관을 맺고 있는 스마트 제조 솔루션 시장은 전망이 밝았다. 실제 업계 종사자들 76%가 올 한해 매출액이 유지 및 증가했다고 답했다. 직접적으로 "증가했다"는 답변만 30%에 달했다.

국내의 경우 미국이나 일본과 달리 GDP대비 제조업 비중이 30%를 상회하는 만큼, 스마트팩토리는 국내 경제에 있어 중요한 분야이다. 그러나 스마트 공장 관련 기술의 상대수준을 보면 한국은 미국, 유럽, 일본에 이어 4위이나, 3위인 일본과 큰 기술수준의 차이를 보이고 있어 경쟁력 제고를 위한 노력이 시급하다.[78]

77) 스마트팩토리 중소,중견기업 기술로드맵 2017-2019, 중소기업청

MarketsandMarkets(2019)에 따르면, 한국의 스마트팩토리 시장 규모는 2018년 기준 약 80.6억 달러에 달하며, 2024년에는 1.9배 규모인 약 152.8억 달러 규모를 형성할 것으로 전망된다. 한국의 스마트팩토리 시장 연평균 성장률은 11.4%로 세계 시장에 비해 빠른 속도(세계 스마트팩토리 시장 연평균 성장률 9.8%)로 성장할 것으로 예측된다. 스마트팩토리 시장은 필드 디바이스 시장과 기술 요소 시장으로 구성된다. 필드 디바이스 시장은 PLM, MES와 같이 스마트팩토리 플랫폼에 사용되는 시스템들의 시장을 의미하며, 기술 요소 시장은 산업용 로봇, 센서, 머신비전, 3D 프린팅 등 요소 기술들에 대한 시장을 의미한다.79)

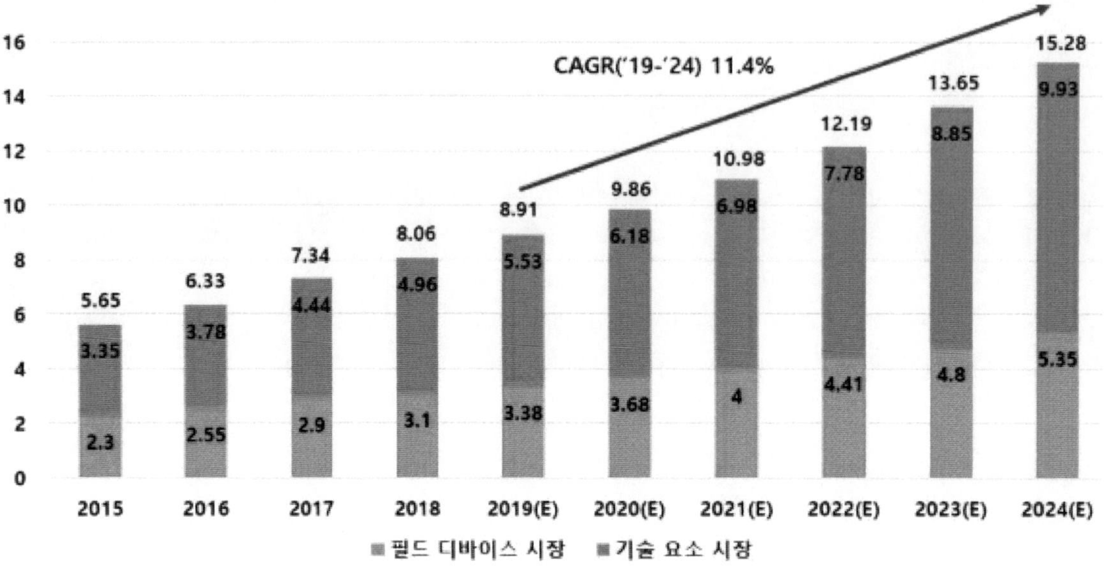

[그림 93] 한국 스마트팩토리 시장 전망 (단위: 10억 달러)

한국은 필드 디바이스보다는 기술 요소 시장의 비중이 더 크며, 2019년부터 2024년까지 필드 디바이스 시장의 CAGR은 9.6%, 기술 요소 시장의 CAGR은 12.4%로 기술 요소 시장의 높은 성장률에 힘입어 빠른 속도고 성장할 것으로 전망된다.

78) 글로벌 스마트팩토리시장, 2022년까지 매년 9.3%성장/ 뿌리산업
79) 스마트팩토리 솔루션, 한국 IR협의회, 2021.07.02

다. 분야별 시장

1) 스마트 센서[80]

글로벌 스마트 센서 시장은 2019년 371.2억 달러에서 연평균 14.3% 성장하여 2027년에 913.7억 달러로 성장할 전망이다. 스마트 센서는 기계 간 통신 및 분석과 같은 고급 IT 솔루션에 적용되며 공정에 중요한 온도 또는 압력 가속과 관련된 변동을 측정한다. 이러한 장치는 스마트 그리드, 스마트 시티 및 스마트 환경(산불 제어, 모니터링 및 지진 조기 감지)에서 구현된다.

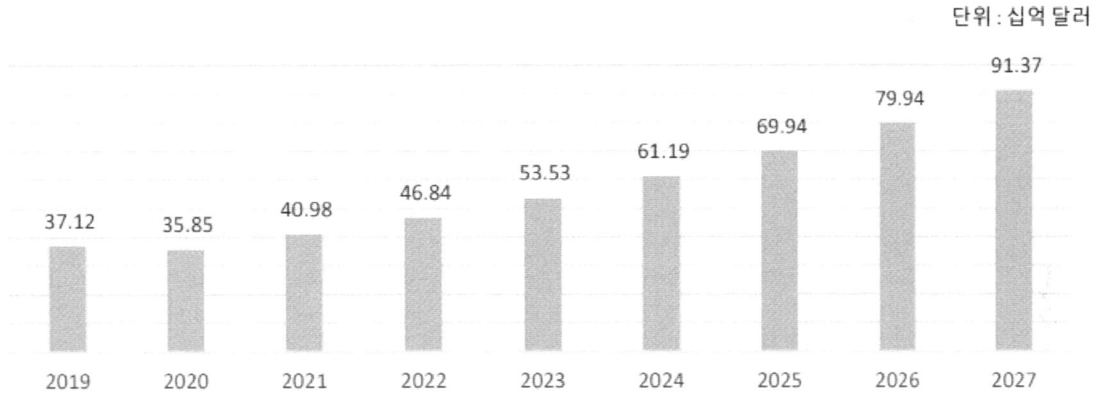

[그림 94] Global Smart Sensor Market

스마트 센서 산업은 현재 성장 단계에 있으며 시장 플레이어의 R&D 활동에 대한 높은 투자와 IoT에 대한 사회의 집중으로 인해 향후 상당한 성장을 기록할 것으로 예상된다. 스마트 센서 시장 성장을 이끄는 요인으로는 자동차 및 전자 제품에 대한 수요 증가와 스마트 시티 개발 등이 있다. Edison 재단에 따르면, 미국은 2015년에 6,500만 개의 스마트 미터를 설치했으며, 2016년에는 7천만 대의 설치 건수가 증가하여 전국 가구의 절반 이상에 이른다.

지역별 스마트 센서 시장 동향은 북미(미국, 캐나다 및 멕시코), 유럽(영국, 독일, 프랑스, 이탈리아 및 기타 유럽), 아시아 태평양(중국, 일본, 인도 및 아시아 태평양 지역), LAMEA(라틴 아메리카, 중동 및 아프리카)로 구분된다. 아시아 태평양 지역은 성장 가능성이 가장 큰 지역으로 이는 스마트폰 사용이 증가하고 주거, 상업 및 산업 분야에서 스마트 전자 기기의 수요가 증가하는 것에 기인한다.

자동차 부문의 스마트 센서에 대한 강력한 수요, 사물 인터넷 시장의 성장세, 스마트 시티 개발로 인한 스마트 센서 수요 증가와 같은 요인이 주 시장 성장 요인으로 작용하고 있으나, 장치에 스마트 센서를 통합하면 추가 전력 소요가 발생하며 장치의 수명이 줄어들기 때문에, 이러한 단점은 어느 정도 시장 성장을 방해할 것으로 예상된다. 또한 웨어러블 기기의 채택과 생물 의학 분야에서 다양한 혁신적인 애플리케이션이 증가하여 글로벌 시장에서 수익성 있는 시장 기회를 제공할 것으로 예상된다.

---

80) 유망시장 Issue Report 스마트센서, 연구개발특구진흥재단, 2021.08

글로벌 스마트 센서 시장은 COVID-19 발발로 큰 악영향을 받아, 제조 가동률이 크게 감소하고 있으며, 여행 금지 및 시설 폐쇄로 인해 근로자들이 공장을 빠져 나갔고 이로 인해 2020년에는 스마트 센서 시장의 성장이 둔화되었다. 그러나 COVID-19가 스마트 센서 시장에 미치는 부정적인 영향은 단기간에 머무를 것으로 예상된다.

글로벌 스마트 센서 시장 대비 3%의 점유율로 추정할 때 한국의 스마트 센서 시장은 2019년 1.11억 달러에서 2027년에 2.74억 달러로 성장할 것으로 예상된다.

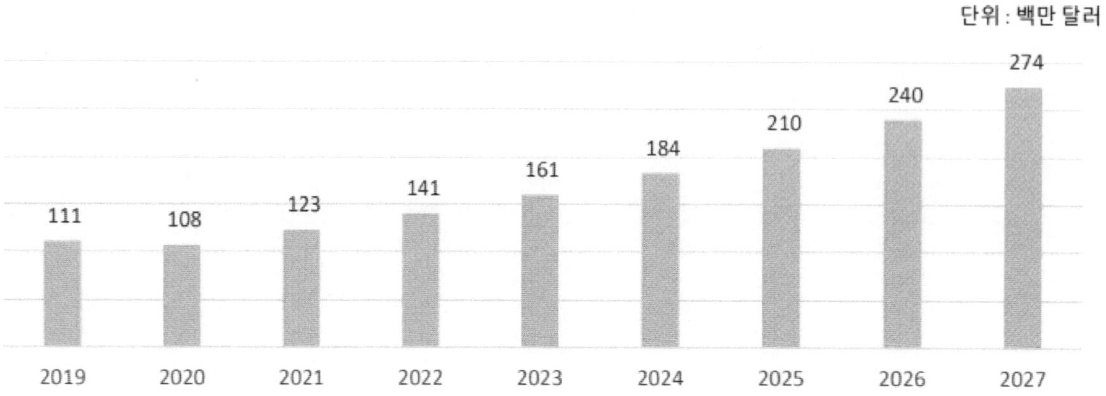

[그림 95] Korea Smart Sensor Market

자율주행차 등 제조부문 외 다양한 서비스 영역에서 스마트화를 위해 시각센서 기반 시스템 도입이 확대되고 있다. 자율주행 시스템을 위해서는 첨단 운전자 보조시스템(ADAS) 등의 기술이 사업화되어야 하며 시각 기반 센서 기술이 핵심이다. 현재 서비스업에서도 스마트화 전환 가속, 이미지 및 영상센서를 기반으로 하는 시스템 도입이 확대되고 있다.

2) 산업용 IoT[81)]

전 세계 산업용 IoT 시장은 2021년 767억 달러에서 연평균 성장률 6.7%로 증가하여, 2026년에는 1,061억 달러에 이를 것으로 전망된다.

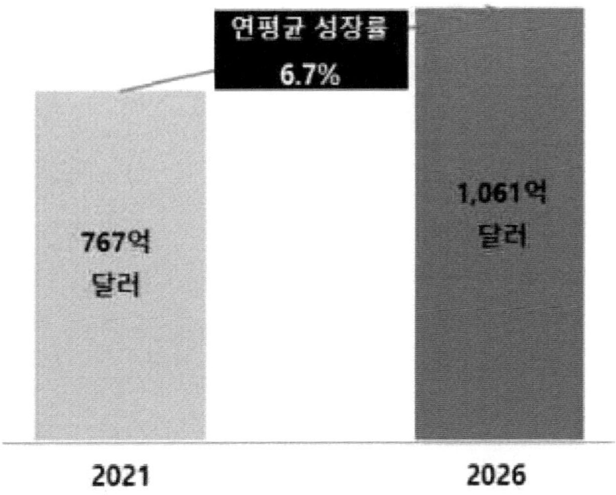

[그림 96] 글로벌 산업용 IoT 시장 규모 및 전망

전 세계 산업용 IoT 시장은 장치&기술에 따라 네트워킹 기술, 분산 제어 시스템(DCS), 산업용 로봇, 센서, 카메라, 무선 주파수 식별(RFID), 상태 모니터링, 스마트 미터, 수율 모니터링, 글로벌 포지셔닝 시스템/글로벌 위성 내비게이션 시스템, 전자선반 라벨(ESL), 인터페이스 보드, 스마트 비콘, 흐름&응용 프로그램 제어 장치, 지침&스티어링으로 분류할 수 있다.

네트워킹 기술은 2021년 162억 2,000만 달러에서 연평균 5.1%로 증가하여, 2026년에는 208억 3,000만 달러에 이를 것으로 전망되며, 분산 제어 시스템(DCS)은 2021년 106억 7,000만 달러에서 연평균 7.4%로 증가하여, 2026년에는 152억 5,000만 달러에 이를 것으로 전망된다. 산업용 로봇은 2021년 49억 1,000만 달러에서 연평균 5.4%로 증가하여, 2026년에는 64억 달러에 이를 것으로 전망되고, 센서는 2021년 32억 2,000만 달러에서 연평균 7.5%로 증가하여, 2026년에는 46억 3,000만 달러에 이를 것으로 전망된다. 카메라는 2021년 23억 6,000만 달러에서 연평균 7.0%로 증가하여, 2026년에는 33억 1,000만 달러에 이를 것으로 전망되고, 무선 주파수 식별(RFID)은 2021년 22억 6,000만 달러에서 연평균 5.9%로 증가하여, 2026년에는 30억 1,000만 달러에 이를 것으로 전망된다. 상태 모니터링은 2021년 16억 6,000만 달러에서 연평균 6.1%로 증가하여, 2026년에는 22억 3,000만 달러에 이를 것으로 전망되며, 스마트 미터는 2021년 12억 2,000만 달러에서 연평균 7.6%로 증가하여, 2026년에는 17억 6,000만 달러에 이를 것으로 전망된다. 다음으로 수율 모니터링은 2021년 7억 5,000만 달러에서 연평균 9.0%로 증가하여, 2026년에는 11억 5,000만 달러에 이를 것으로 전망되고, 글로벌 포지셔닝 시스템/글로벌 위성 내비게이션 시스템은 2021년 5억 3,000만 달러에서 연평균 8.9%로 증가하여, 2026년에는 8억 2,000만 달러에 이를 것으로 전망된다.

81) 산업용 IoT 시장, 연구개발특구진흥재단, 2021.10

전자선반 라벨(ESL)은 2021년 3억 8,000만 달러에서 연평균 8.8%로 증가하여, 2026년에는 5억 달러에 이를 것으로 전망되고, 인터페이스 보드는 2021년 3억 7,000만 달러에서 연평균 6.5%로 증가하여, 2026년에는 5억 달러에 이를 것으로 전망된다. 스마트 비콘은 2021년 3억 7,000만 달러에서 연평균 9.3%로 증가하여, 2026년에는 5억 7,000만 달러에 이를 것으로 전망되며, 흐름&응용 프로그램 제어 장치는 2021년 2억 9,000만 달러에서 연평균 7.4%로 증가하여, 2026년에는 4억 2,000만 달러에 이를 것으로 전망된다. 다음으로 지침&스티어링은 2021년 2억 3,000만 달러에서 연평균 8.6%로 증가하여, 2026년에는 3억 5,000만 달러에 이를 것으로 전망된다.

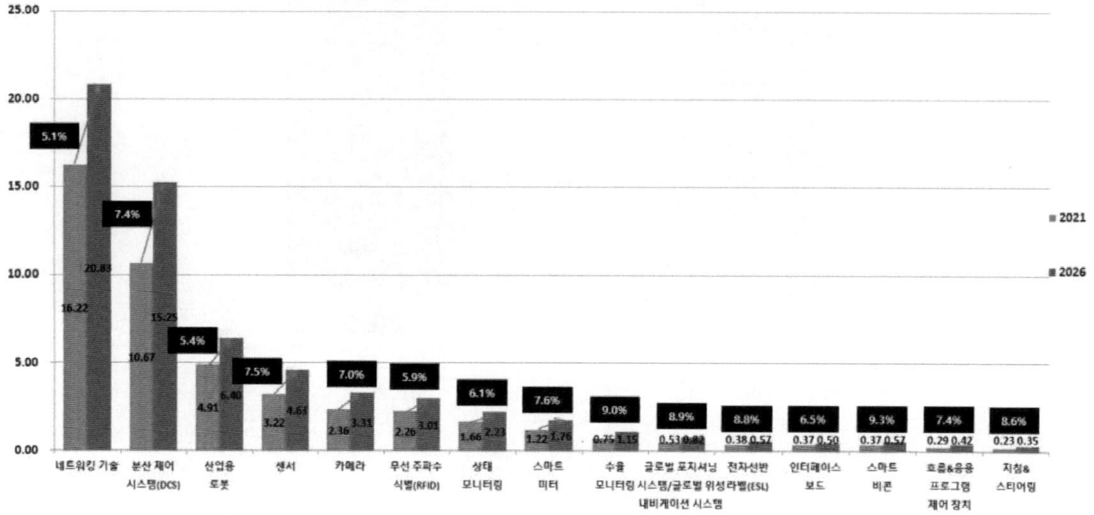

[그림 97] 글로벌 산업용 IoT 시장의 장치&기술별 시장 규모 및 전망 (단위: 십억 달러)

전 세계 산업용 IoT 시장은 연결 유형에 따라 유선, 무선으로 분류할 수 있다. 유선은 2021년 95억 9,000만 달러에서 연평균 성장률 5.0%로 증가하여, 2026년에는 122억 6,000만 달러에 이를 것으로 전망되고, 무선은 2021년 66억 4,000만 달러에서 연평균 성장률 5.3%로 증가하여, 2026년에는 85억 7,000만 달러에 이를 것으로 전망된다.

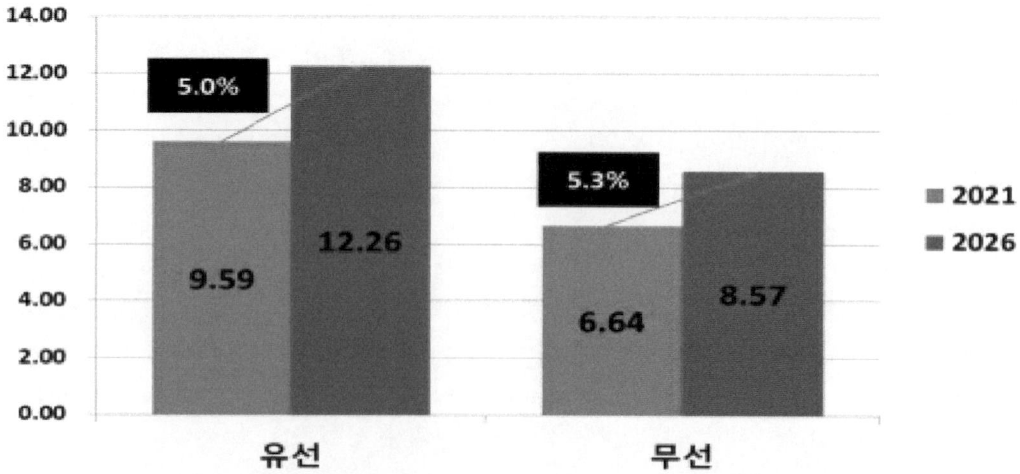

[그림 98] 글로벌 산업용 IoT 시장의 연결 유형별 시장 규모 및 전망 (단위: 십억 달러)

전 세계 산업용 IoT 시장은 소프트웨어에 따라 제조 실행 시스템(MES), 소매 관리 소프트웨어, 유통 관리 시스템, 감독 제어 및 데이터 수집(SCADA), 원격 환자 모니터링, 정전 관리 시스템, 농장 관리 시스템, 제품 수명주기 관리(PLM), 시각화 소프트웨어, 교통 관리 시스템으로 분류할 수 있다.

제조 실행 시스템(MES)은 2021년 81억 9,000만 달러에서 연평균 성장률 5.2%로 증가하여, 2026년에는 105억 7,000만 달러에 이를 것으로 전망되고, 소매 관리 소프트웨어는 2021년 56억 1,000만 달러에서 연평균 성장률 8.7%로 증가하여, 2026년에는 85억 2,000만 달러에 이를 것으로 전망된다. 유통 관리 시스템은 2021년 48억 9,000만 달러에서 연평균 성장률 8.9%로 증가하여, 2026년에는 74억 8,000만 달러에 이를 것으로 전망되며, 감독 제어 및 데이터 수집(SCADA)은 2021년 56억 2,000만 달러에서 연평균 성장률 5.4%로 증가하여, 2026년에는 73억 달러에 이를 것으로 전망된다. 원격 환자 모니터링은 2021년 28억 4,000만 달러에서 연평균 성장률 9.3%로 증가하여, 2026년에는 44억 1,000만 달러에 이를 것으로 전망되고, 정전 관리 시스템은 2021년 12억 2,000만 달러에서 연평균 성장률 7.6%로 증가하여, 2026년에는 17억 6,000만 달러에 이를 것으로 전망된다. 다음으로 농장 관리 시스템은 2021년 11억 달러에서 연평균 성장률 9.1%로 증가하여, 2026년에는 17억 달러에 이를 것으로 전망되고, 제품 수명주기 관리(PLM)는 2021년 9억 2,000만 달러에서 연평균 성장률 6.5%로 증가하여, 2026년에는 12억 5,000만 달러에 이를 것으로 전망된다. 시각화 소프트웨어는 2021년 5억 7,000만 달러에서 연평균 성장률 8.6%로 증가하여, 2026년에는 8억 6,000만 달러에 이를 것으로 전망되고, 마지막으로 교통 관리 시스템은 2021년 2억 9,000만 달러에서 연평균 성장률 9.6%로 증가하여, 2026년에는 4억 6,000만 달러에 이를 것으로 전망된다.

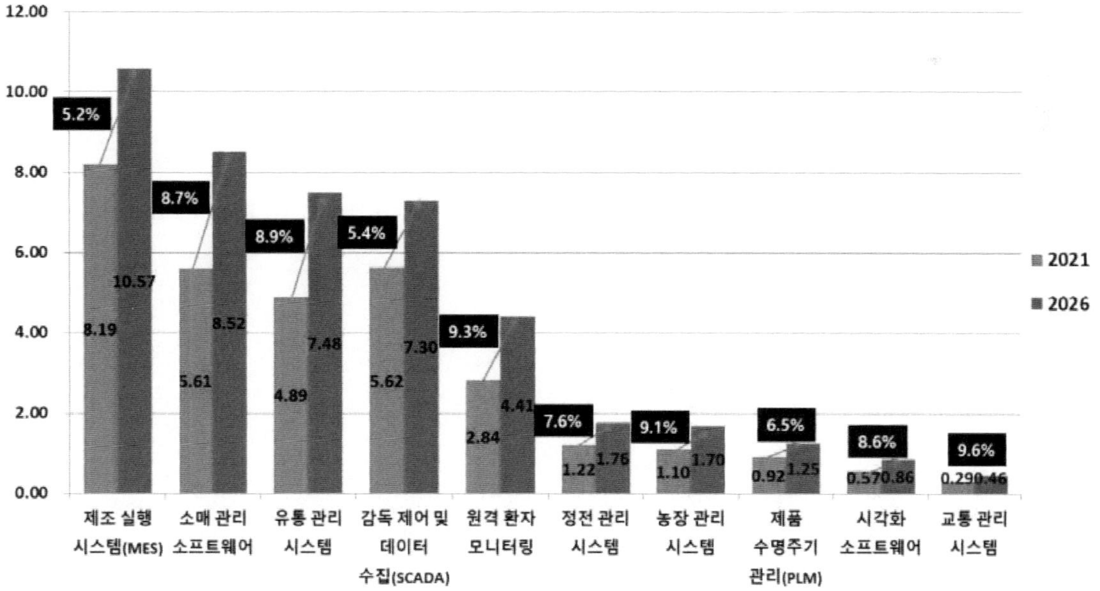

[그림 99] 글로벌 산업용 IoT 시장의 소프트웨어별 시장 규모 및 전망 (단위: 십억 달러)

전 세계 산업용 IoT 시장은 산업에 따라 제조업, 에너지, 소매업, 오일&가스, 헬스케어, 금속&광업, 교통업, 농업으로 분류된다. 제조업은 2021년 279억 달러에서 연평균 성장률 7.3%로 증가하여, 2026년에는 397억 달러에 이를 것으로 전망되고, 에너지는 2021년 105억 달러에서 연평균 성장률 9.0%로 증가하여, 2026년에는 161억 달러에 이를 것으로 전망된다. 다음으로 소매업은 2021년 106억 달러에서 연평균 성장률 4.2%로 증가하여, 2026년에는 131억 달러에 이를 것으로 전망되고, 오일&가스는 2021년 98억 달러에서 연평균 성장률 5.0%로 증가하여, 2026년에는 125억 달러에 이를 것으로 전망된다. 헬스케어는 2021년 55억 달러에서 연평균 성장률 9.3%로 증가하여, 2026년에는 86억 달러에 이를 것으로 전망되고, 금속&광업은 2021년 47억 달러에서 연평균 성장률 6.9%로 증가하여, 2026년에는 65억 달러에 이를 것으로 전망된다. 교통업은 2021년 40억 달러에서 연평균 성장률 3.8%로 증가하여, 2026년에는 48억 달러에 이를 것으로 전망되고, 마지막으로 농업은 2021년 36억 달러에서 연평균 성장률 5.7%로 증가하여, 2026년에는 48억 달러에 이를 것으로 전망된다.

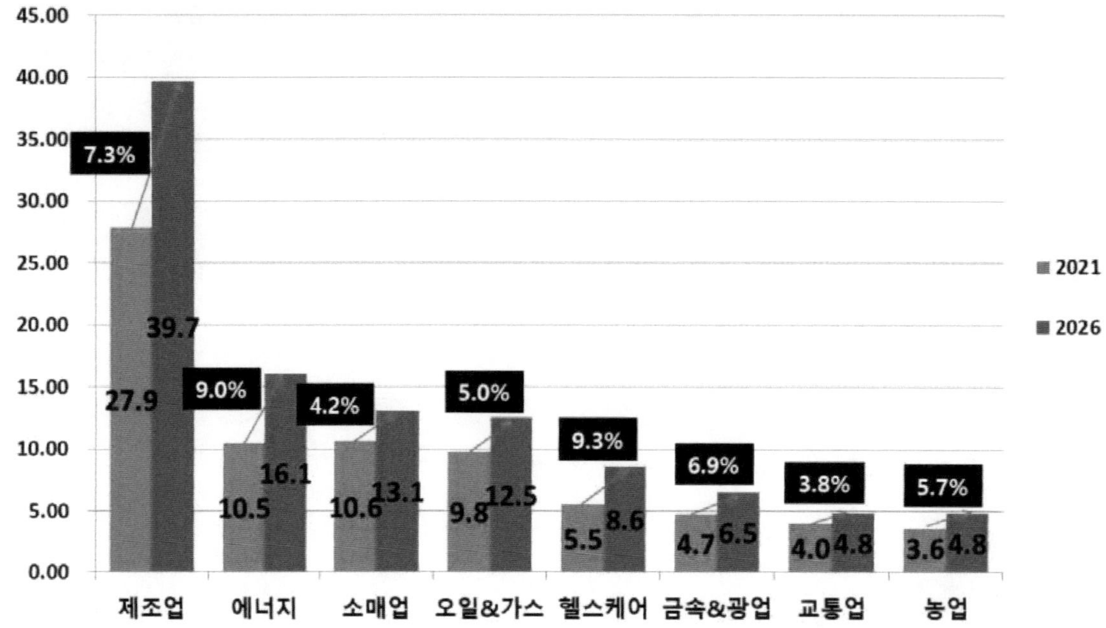

[그림 100] 글로벌 산업용 IoT 시장의 산업별 시장 규모 및 전망 (단위: 십억 달러)

전 세계 산업용 IoT 시장을 지역별로 살펴보면, 2020년을 기준으로 아시아-태평양 지역이 34%로 가장 높은 점유율을 나타냈다. 아시아-태평양 지역은 2021년 267억 달러에서 연평균 성장률 8.1%로 증가하여, 2026년에는 394억 달러에 이를 것으로 전망되고, 북아메리카 지역은 2021년 247억 달러에서 연평균 성장률 6.0%로 증가하여, 2026년에는 330억 달러에 이를 것으로 전망된다. 유럽 지역은 2021년 177억 달러에서 연평균 성장률 5.6%로 증가하여, 2026년에는 232억 달러에 이를 것으로 전망되고, 그 외 지역은 2021년 76억 달러에서 연평균 성장률 6.7%로 증가하여, 2026년에는 105억 달러에 이를 것으로 전망된다.

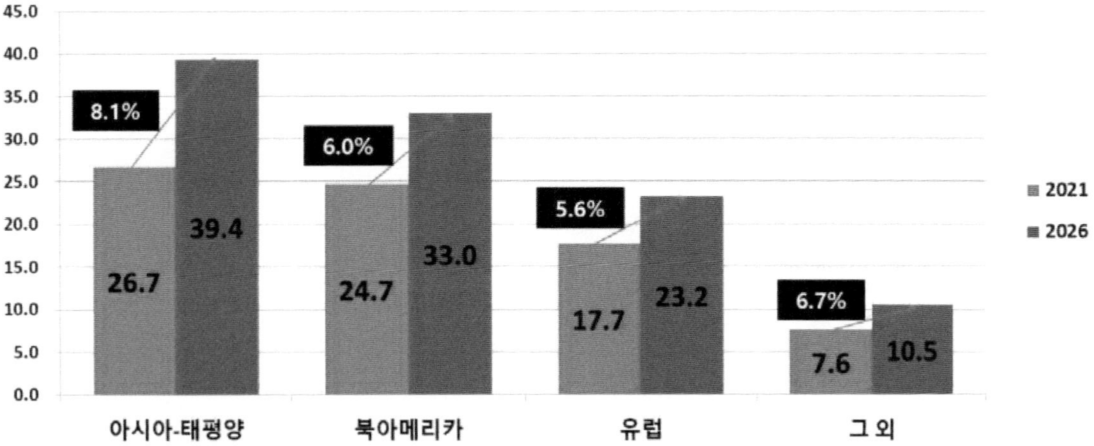

[그림 101] 글로벌 산업용 IoT 시장의 지역별 시장 규모 및 전망 (단위: 십억 달러)

3) 인공지능[82]

인공지능산업의 글로벌 매출은 2020년 2,813억 달러(약 323조 원)에서 2023년 4,598억 달러(약 528조 원)로 성장할 전망이다. 인공지능 시장의 정의와 응용분야의 변화로 인공지능 시장에 대한 집계기준과 전망치는 기관마다 다르고, 같은 기관이라도 매년 예측치가 커지는 경향이 존재한다.

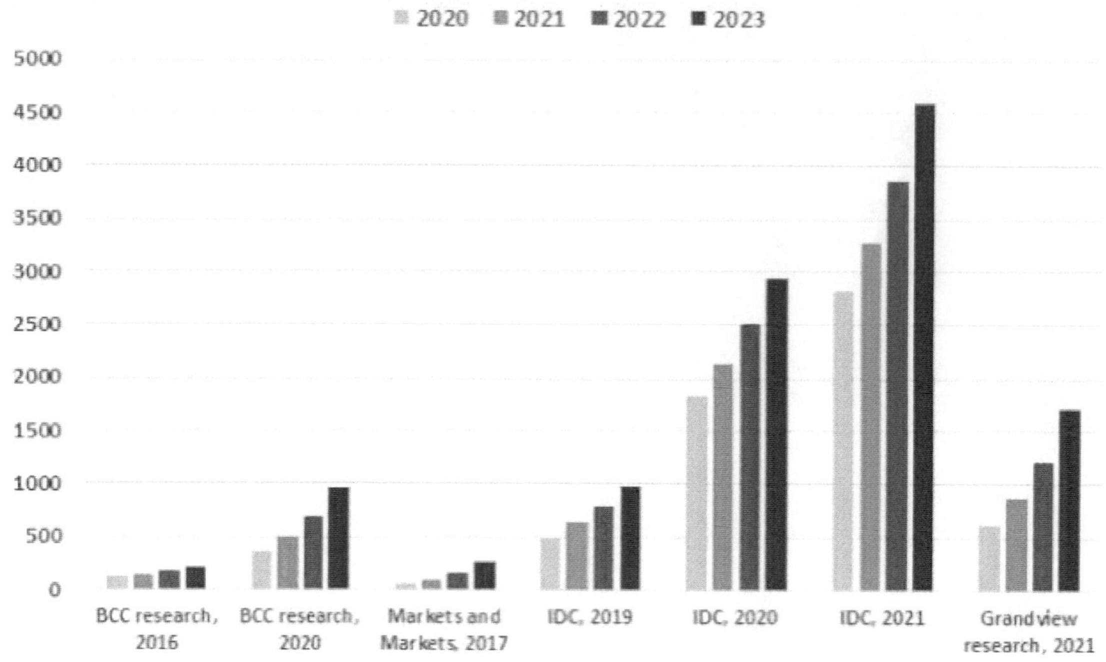

[그림 102] 조사기관별 2020~2023 글로벌 인공지능 시장전망 (단위: 억 달러)

인공지능 소프트웨어는 전체 인공지능 시장 매출의 80%를 차지하고 있으며, 인공지능 소프트웨어 매출은 대부분 인공지능 솔루션의 매출이며 나머지는 AI 플랫폼에서 발생한다. 인공지능 하드웨어[83]의 시장규모는 작지만(약 5%) 가장 빠른 속도로 성장 하고 있다.(연평균 성장률 29.6% 예상) 하드웨어 분야의 주요 국가로는 미국, 중국, 일본, 서유럽 등이 있다.

2020년 인공지능 시장의 전 세계 매출은 2,813억 달러(약 323조 원)로, 2023년까지 연평균 성장률(CAGR) 17.5%를 유지하여 총 매출은 4,598억 달러(약 528조 원)로 성장할 예상이다. 모든 기관에서 인공지능 시장의 연평균 성장률(CAGR)을 17%[84] 이상으로 예측하고 있으며, 평균적으로 20~30% 수준의 가파른 성장세를 보일 전망이다.

인공지능 세부시장은 산업응용 5개 분야(챗봇·교육·영상데이터·헬스케어·로봇자동화)와 원천기술 3개 분야(AutoML[85]·설명가능 AI·학습용 데이터 생성) 총 8가지로 분류할 수 있다.

82) 인공지능산업 현황 및 주요국 육성 정책, 한국수출입은행, 2021.10.14
83) 부품(예: neural processing unit), 설계, 구조 등이 AI에 최적화된 서버, 스토리지 등의 하드웨어
84) CAGR가 17%인 경우 5년 뒤 시장규모가 약 2배가 되는 것으로 전망(20%는 약 4년, 30%는 2년 반)

인공지능 세부시장 중, 챗봇시장이 가장 규모가 크고 헬스케어와 영상데이터 분석(제조업·자율주행·안면인식 등)이 강세를 보이고 있다. 챗봇시장은 챗봇, 인공지능 스피커, 로보어드바이저를 포함한 인간-AI 상호작용 및 업무보조에 관련된 어플리케이션을 모두 포함하며 2024년에 566억 달러에 육박할 전망이다. 핵심 성장분야로는 AutoML·헬스케어·로봇자동화·교육 시장이 가파른 성장(CAGR 40% 이상)을 보이고 있으며, 챗봇시장 또한 높은 성장세를 이어나갈 전망이다. 에듀테크 분야에서 AI는 적용 초기단계이며 교육시장에서의 비중이 현재 약 3%에서 점차 높아짐에 따라 예측치를 훨씬 상회할 것으로 기대된다.

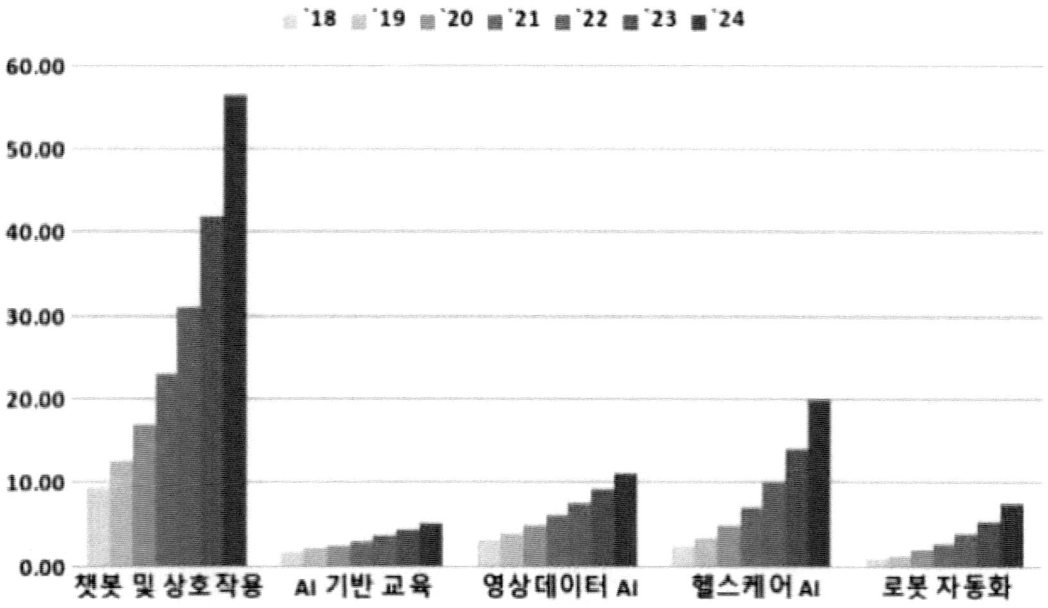

[그림 103] 산업응용분야 글로벌 전망 (단위: 십억 달러)

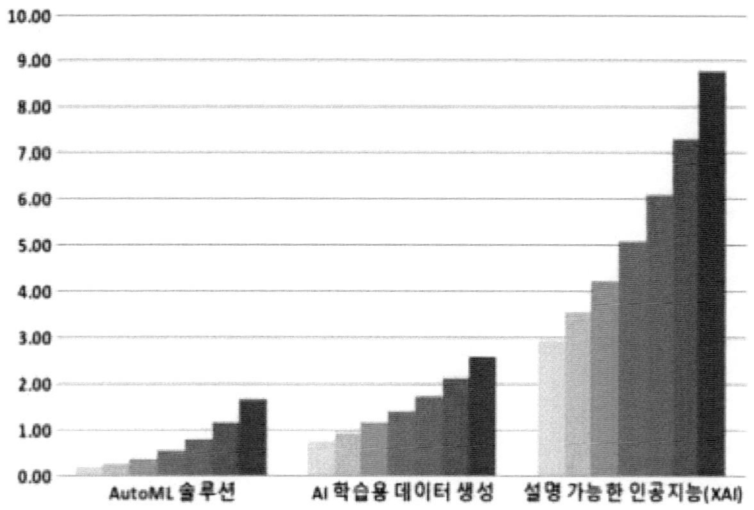

[그림 104] 원천 기술 분야 글로벌 전망 (단위: 십억 달러)

85) AutoML(Automated Machine Learning): 데이터를 기반으로 자동으로 인공지능 모형을 개발하는 인공지능 솔루션

인공지능 관련산업의 주요분야별 매출은 2018년도 기준 빅데이터 (1조 5039억 달러), 스마트의료기기(814억 달러), 스마트제조(394억 달러), 스마트시티(32.6억 달러) 순이며 광범위하게 자율주행차, 지능형로봇, 드론, IoT 등이 포함될 수 있다.

국내 인공지능 시장규모는 2020년 6,895억 원으로 추정되며 2023년 1조 원을 돌파할 전망이다. 국내 인공지능은 세계시장에서의 비중은 작으며 성장을 위해서는 추가적인 투자가 필요하다.

한국의 인공지능 분야 투자금액은 미·중 투자금액의 약 3% 수준이며 정부에서 노력을 기울이고 있으나 인공지능 시장의 성장을 위해서는 민간기업의 투자와 협력이 필요하다. 2018.01~2019.10 기간중 국내기업의 AI 분야 투자금액은 미국(약 42.9조원), 중국(약 29.6조원)에 비하여 매우 적은 715억원 수준(미·중 대비 각각 1.7%, 2.4%)이다.

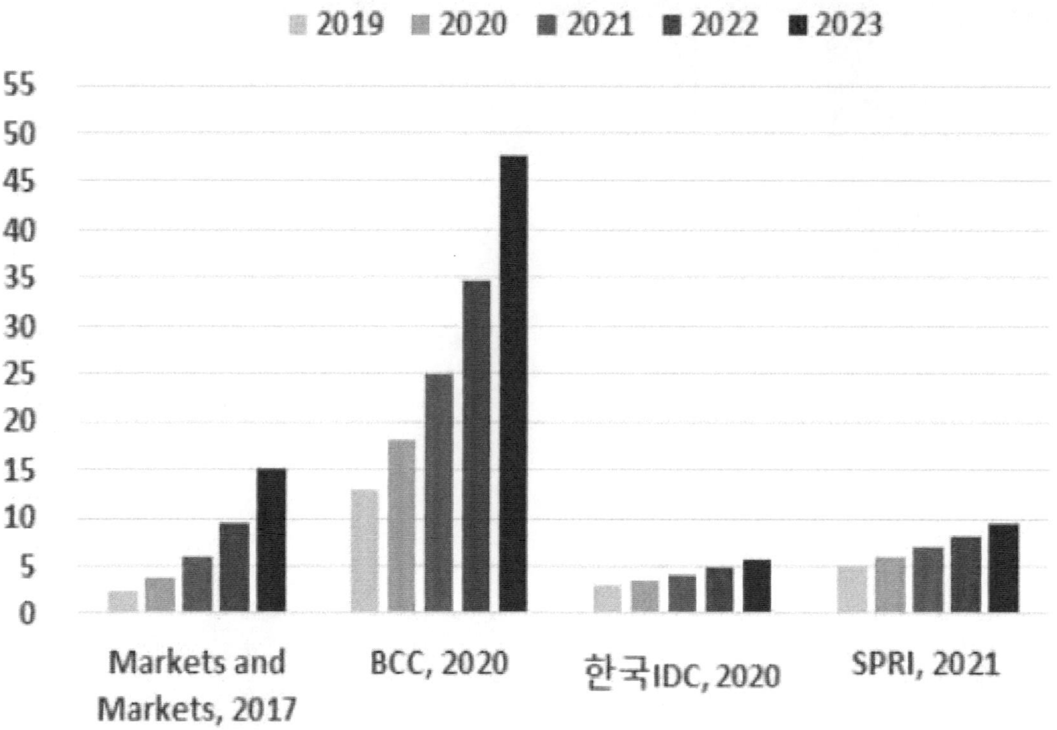

[그림 105] 조사기관별 2019~2023 국내 인공지능 시장전망 (단위: 억 달러)

소프트웨어정책연구소(SPRI)에서 매년 국내 인공지능 매출액을 집계하고 있는데, 약 16%의 성장률을 기준으로 2023년 1조 원을 돌파할 전망이다. 2018년~2020년 기준 소프트웨어가 가장 큰 매출 비중을 차지(약 62%)하고 있으며, 그 뒤로 서비스(약 35%), 하드웨어(약 3%) 순이며, 소프트웨어와 하드웨어의 비율이 점차 증가하는 추세다. 대부분 기관에서 CAGR(연평균 성장률)을 15% 이상으로 예측하였으며, 보고서에 따라 15%에서 많게는 58%까지 성장률을 전망하고 있다.

국내의 경우 교육, 학습용 데이터 생성, 로봇자동화의 시장규모가 크며, 글로벌 대비 챗봇, 헬스케어, 로봇자동화 분야가 빠르게 성장하고 있다. 국내에서는 AI 기반 교육서비스와 학습용 데이터 생성의 시장이 가장 큰 것으로 나타났으며 세계시장 대비 교육서비스, 로봇자동화, 학습용 데이터 생성이 높은 비중을 차지했다. 핵심성장 분야는 금융, 제조, 의료 등 산업의 높은 디지털화에 기인하여 챗봇(예: 로보어드바이저) · 헬스케어 · 로봇자동화 분야가 가파른 성장(CAGR 42% 이상) 중이다.

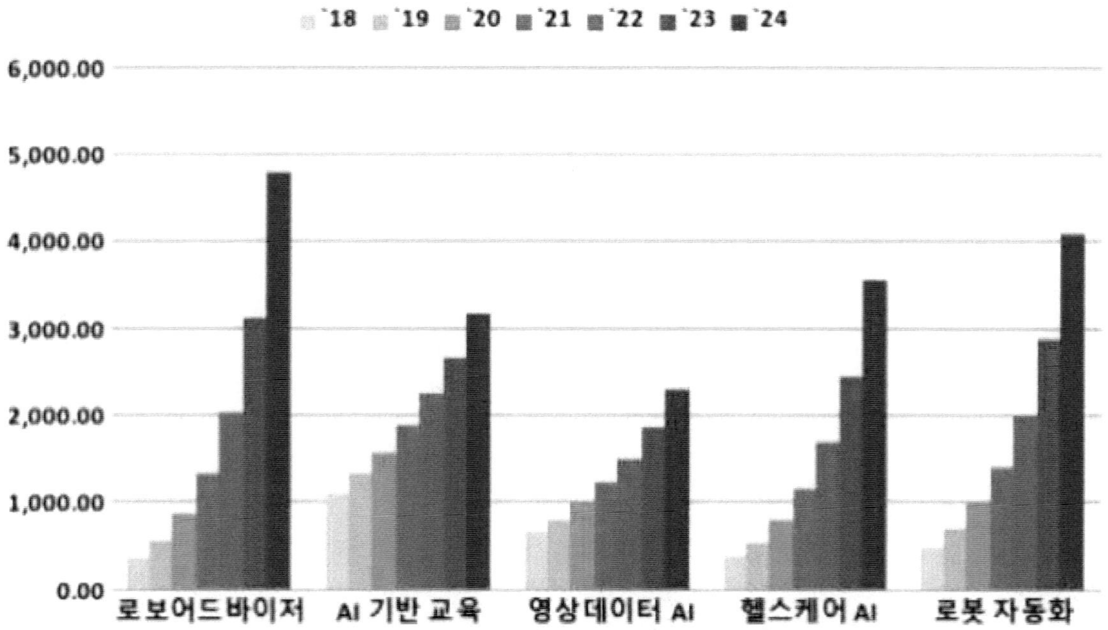

[그림 106] 산업응용분야 국내 전망 (단위: 억 원)

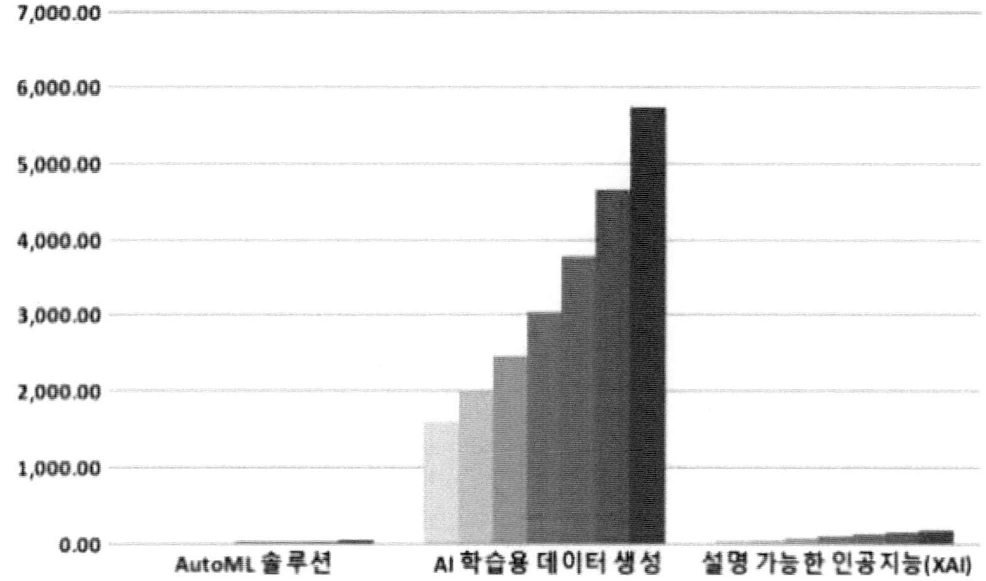

[그림 107] 원천기술분야 국내 전망 (단위: 억 원)

4) 머신 비전 시장[86)]

전 세계 머신 비전 시장은 2021년 110억 달러에서 연평균 성장률 7.0%로 증가하여, 2026년에는 155억 달러에 이를 것으로 전망된다.

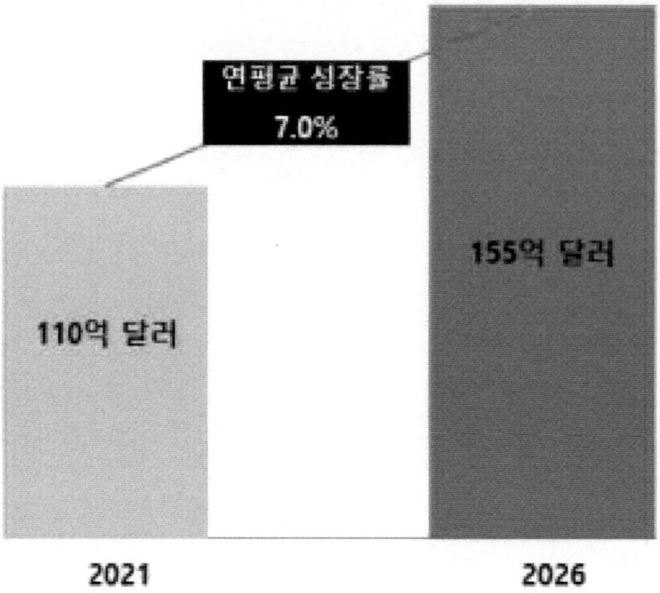

[그림 108\] 글로벌 머신 비전 시장 규모 및 전망

전 세계 머신 비전 시장은 구성요소에 따라 하드웨어, 소프트웨어로 분류된다. 하드웨어는 2021년 85억 2,100만 달러에서 연평균 성장률 6.0%로 증가하여, 2026년에는 113억 8,700만 달러에 이를 것으로 전망되며, 소프트웨어는 2021년 25억 700만 달러에서 연평균 성장률 10.3%로 증가하여, 2026년에는 40억 9,400만 달러에 이를 것으로 전망된다.

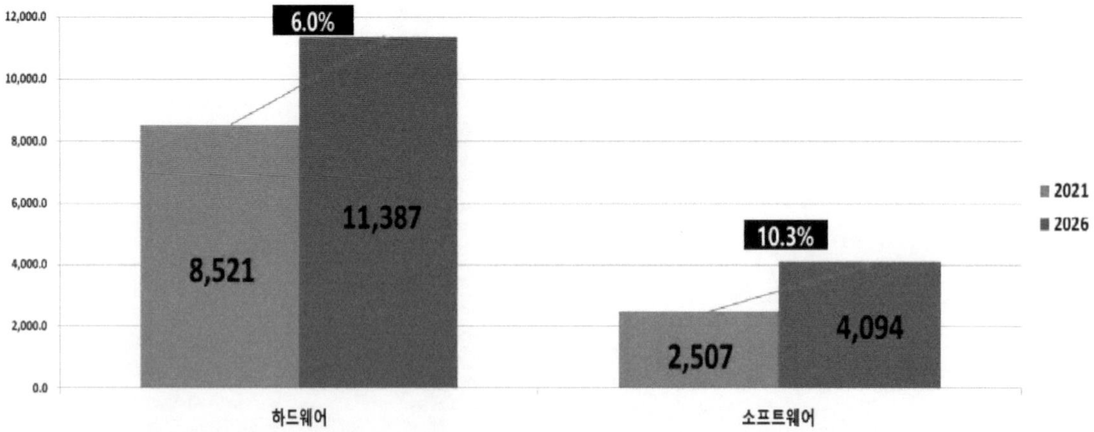

[그림 109] 글로벌 머신 비전 시장의 구성요소별 시장 규모 및 전망 (단위: 백만 달러)

86) 머신 비전 시장, 연구개발특구진흥재단, 2021.10

전 세계 머신 비전 시장은 하드웨어에 따라 카메라, 광학, 프레임 그래버, 프로세서, LED 조명, 기타로 분류할 수 있다. 카메라는 2021년 48억 7,800만 달러에서 연평균 성장률 7.1%로 증가하여, 2026년에는 68억 6,500만 달러에 이를 것으로 전망되며, 광학은 2021년 12억 9,100만 달러에서 연평균 성장률 4.9%로 증가하여, 2026년에는 16억 3,800만 달러에 이를 것으로 전망된다. 프레임 그래버는 2021년 6억 8,700만 달러에서 연평균 성장률 2.2%로 증가하여, 2026년에는 7억 6,700만 달러에 이를 것으로 전망되고, 프로세서는 2021년 7억 9,900만 달러에서 연평균 성장률 6.5%로 증가하여, 2026년에는 10억 9,300만 달러에 이를 것으로 전망된다. 다음으로, LED 조명은 2021년 6억 7,200만 달러에서 연평균 성장률 3.9%로 증가하여, 2026년에는 8억 1,400만 달러에 이를 것으로 전망되며, 기타는 2021년 1억 9,500만 달러에서 연평균 성장률 1.5%로 증가하여, 2026년에는 2억 1,000만 달러에 이를 것으로 전망된다.

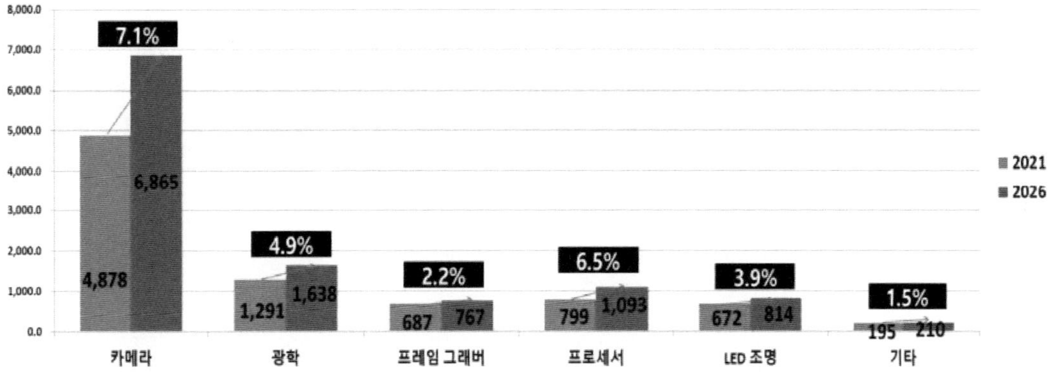

[그림 110] 글로벌 머신 비전 시장의 하드웨어별 시장 규모 및 전망 (단위: 백만 달러)

전 세계 머신 비전 시장은 소프트웨어에 따라 기존 소프트웨어, 딥 러닝 소프트웨어로 분류된다. 기존 소프트웨어는 2021년 23억 4,400만 달러에서 연평균 성장률 8.5%로 증가하여, 2026년에는 35억 2,100만 달러에 이를 것으로 전망되고, 딥 러닝 소프트웨어는 2021년 1억 6,300만 달러에서 연평균 성장률 28.6%로 증가하여, 2026년에는 5억 7,300만 달러에 이를 것으로 전망된다.

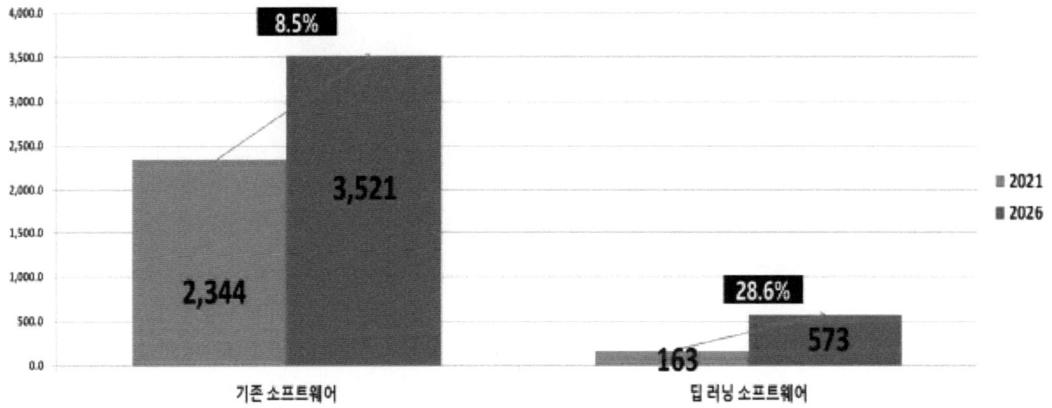

[그림 111] 글로벌 머신 비전 시장의 소프트웨어별 시장 규모 및 전망 (단위: 백만 달러)

전 세계 머신 비전 시장은 도입 구분에 따라 범용, 로봇 셀로 분류된다. 범용은 2021년 104억 6,600만 달러에서 연평균 성장률 6.8%로 증가하여, 2026년에는 145억 4,600만 달러에 이를 것으로 전망되고, 로봇 셀은 2021년 5억 6,200만 달러에서 연평균 성장률 10.7%로 증가하여, 2026년에는 9억 3,500만 달러에 이를 것으로 전망된다.

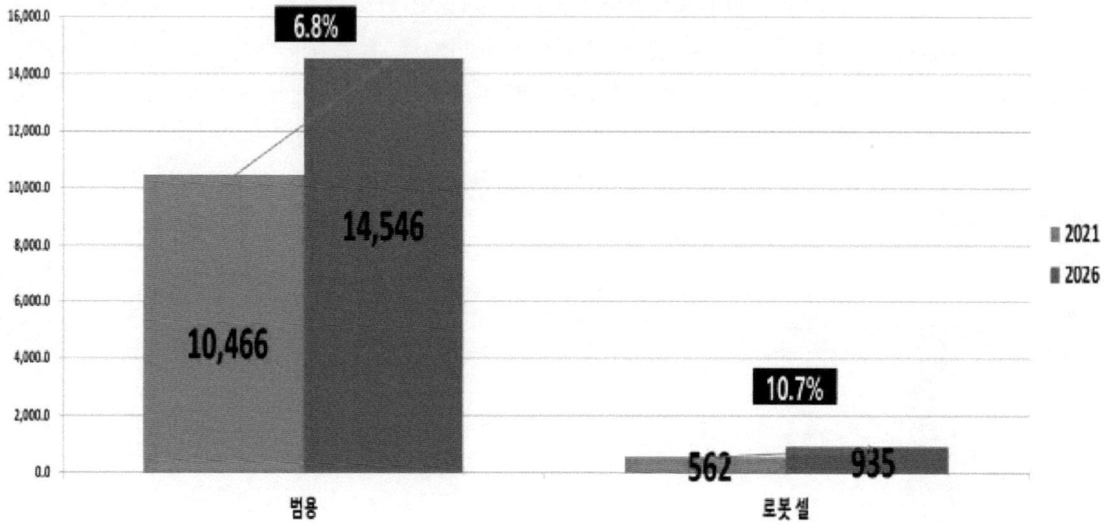

[그림 112] 글로벌 머신 비전 시장의 도입 구분별 시장 규모 및 전망 (단위: 백만 달러)

전 세계 머신 비전 시장은 제품에 따라 PC 기반, 스마트 카메라 기반으로 분류된다. PC 기반은 2021년 54억 6,200만 달러에서 연평균 성장률 4.4%로 증가하여, 2026년에는 70억 4,500만 달러에 이를 것으로 전망되고, 스마트 카메라 기반은 2021년 55억 6,600만 달러에서 연평균 성장률 7.8%로 증가하여, 2026년에는 84억 3,600만 달러에 이를 것으로 전망된다.

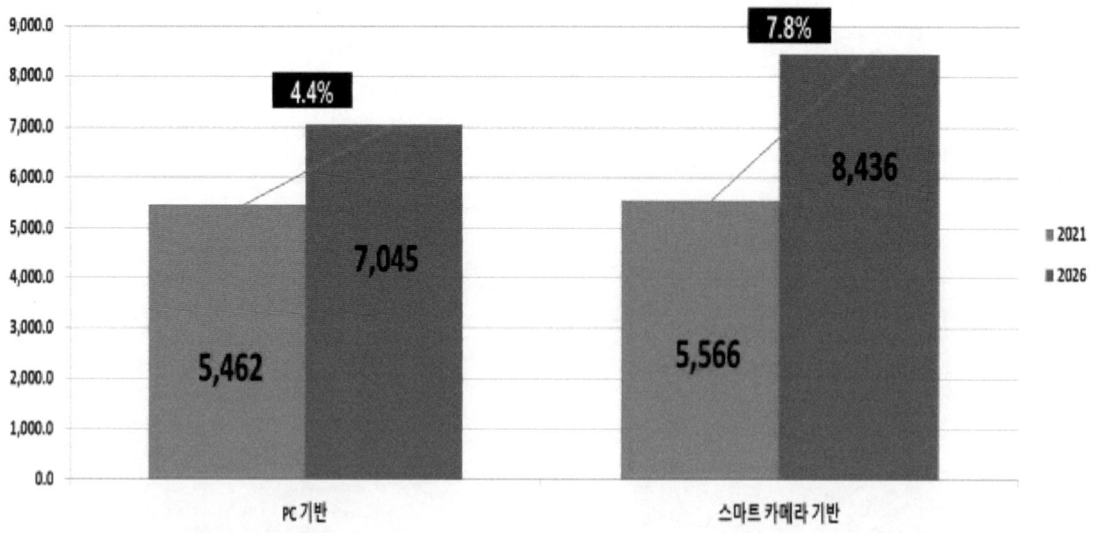

[그림 113] 글로벌 머신 비전 시장의 제품별 시장 규모 및 전망 (단위: 백만 달러)

전 세계 머신 비전 시장은 용도에 따라 품질 보증 및 검사, 위치 및 안내, 측정, ID, 예지 보전으로 분류된다. 품질 보증 및 검사는 2021년 47억 6,100만 달러에서 연평균 성장률 6.9%로 증가하여, 2026년에는 66억 5,100만 달러에 이를 것으로 전망되고, 위치 및 안내는 2021년 28억 2,400만 달러에서 연평균 성장률 7.5%로 증가하여, 2026년에는 40억 6,000만 달러에 이를 것으로 전망된다. 측정은 2021년 16억 7,300만 달러에서 연평균 성장률 5.4%로 증가하여, 2026년에는 21억 7,500만 달러에 이를 것으로 전망되며, ID는 2021년 16억 5,900만 달러에서 연평균 성장률 6.9%로 증가하여, 2026년에는 23억 1,200만 달러에 이를 것으로 전망된다. 마지막으로 1예지 보전은 2021년 1억 1,100만 달러에서 연평균 성장률 20.5%로 증가하여, 2026년에는 2억 8,200만 달러에 이를 것으로 전망된다.

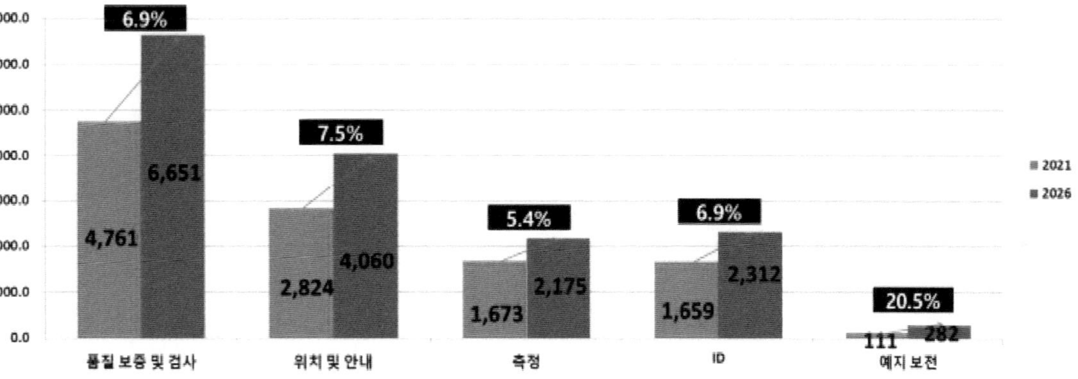

[그림 114] 글로벌 머신 비전 시장의 용도별 시장 규모 및 전망 (단위: 백만 달러)

전 세계 머신 비전 시장은 최종 사용자 산업에 따라 자동차, 가전, 전자 및 반도체, 인쇄, 금속, 목재 및 종이, 식품 및 포장, 고무 및 플라스틱, 의약품, 유리, 기계, 태양광 패널 제조, 섬유로 분류된다. 자동차는 2021년 14억 4,300만 달러에서 연평균 성장률 5.7%로 증가하여, 2026년에는 19억 700만 달러에 이를 것으로 전망되며, 가전은 2021년 13억 9,200만 달러에서 연평균 성장률 9.1%로 증가하여, 2026년에는 21억 5,300만 달러에 이를 것으로 전망된다. 전자 및 반도체는 2021년 12억 4,400만 달러에서 연평균 성장률 8.9%로 증가하여, 2026년에는 19억 600만 달러에 이를 것으로 전망되고, 인쇄는 2021년 6억 800만 달러에서 연평균 성장률 5.3%로 증가하여, 2026년에는 7억 8,900만 달러에 이를 것으로 전망된다. 금속은 2021년 5억 3,500만 달러에서 연평균 성장률 4.3%로 증가하여, 2026년에는 6억 6,000만 달러에 이를 것으로 전망되며, 목재 및 종이는 2021년 4억 4,300만 달러에서 연평균 성장률 5.0%로 증가하여, 2026년에는 5억 6,400만 달러에 이를 것으로 전망된다. 식품 및 포장은 2021년 14억 6,000만 달러에서 연평균 성장률 10.3%로 증가하여, 2026년에는 23억 8,900만 달러에 이를 것으로 전망되고, 고무 및 플라스틱은 2021년 4억 6,900만 달러에서 연평균 성장률 4.8%로 증가하여, 2026년에는 5억 9,400만 달러에 이를 것으로 전망된다. 의약품은 2021년 14억 1,100만 달러에서 연평균 성장률 5.1%로 증가하여, 2026년에는 18억 1,000만 달러에 이를 것으로 전망되며, 유리는 2021년 3억 9,800만 달러에서 연평균 성장률 5.2%로 증가하여, 2026년에는 5억 1,300만 달러에 이를 것으로 전망된다. 다음으로, 기계는 2021년 6억 5,400만 달러에서 연평균 성장률 6.1%로 증가하여, 2026년에는 8억 8,000만 달러에 이를 것으로 전망되며, 태양광 패널 제조는 2021년 5억 7,200만 달러에서 연평균 성장률 7.0%로 증가하여, 2026년에는 8억 400만 달러에 이를 것으로 전망된다. 마지막으로 섬유는 2021년 3억 9,800만 달러에서 연평균 성장률 5.2%로 증가하여, 2026년에는 5억 1,300만 달러에 이를 것으로 전망된다.

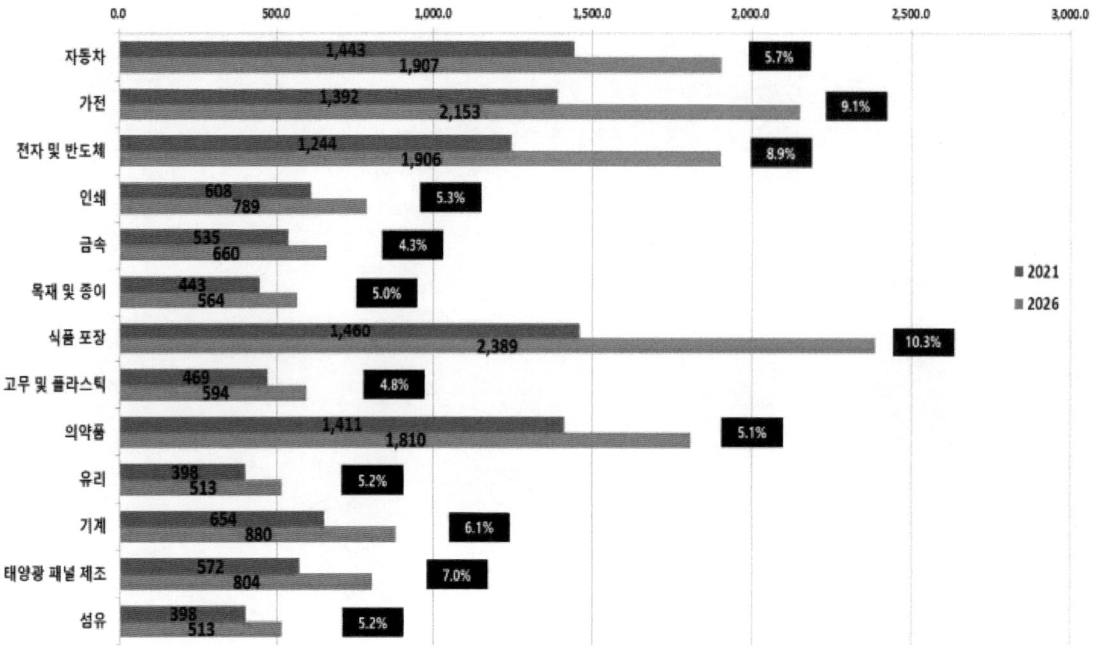

[그림 115] 글로벌 머신 비전 시장의 최종 사용자 산업별 시장 규모 및 전망 (단위: 백만 달러)

전 세계 머신 비전 시장은 최종 사용자에 따라 산업, 비산업으로 분류된다. 산업은 2019년 76억 7,339만 달러에서 연평균 성장률 7.30%로 증가하여, 2024년에는 109억 1,589만 달러에 이를 것으로 전망되며, 비산업은 2019년 24억 9,004만 달러에서 연평균 성장률 8.08%로 증가하여, 2024년에는 36억 7,169만 달러에 이를 것으로 전망된다.

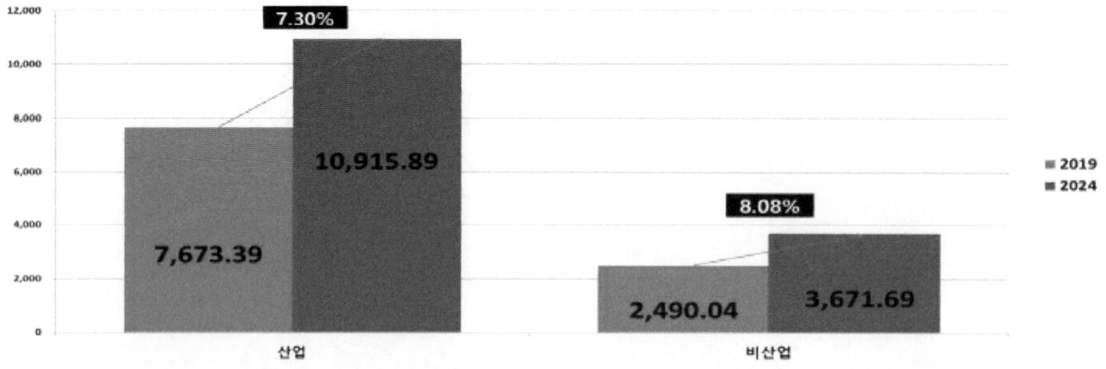

[그림 116] 글로벌 머신 비전 시장의 최종 사용자별 시장 규모 및 전망 (단위: 백만 달러)

전 세계 머신 비전 시장을 지역별로 살펴보면, 2020년을 기준으로 아시아-태평양 지역이 36.0%로 가장 높은 점유율을 나타내었다. 북아메리카 지역은 2021년 32억 7,700만 달러에서 연평균 성장률 7.0%로 증가하여, 2026년에는 45억 9,600만 달러에 이를 것으로 전망되며, 유럽 지역은 2021년 27억 4,000만 달러에서 연평균 성장률 5.9%로 증가하여, 2026년에는 36억 4,800만 달러에 이를 것으로 전망된다. 아시아-태평양 지역은 2021년 40억 5,300만 달러에서 연평균 성장률 8.1%로 증가하여, 2026년에는 59억 7,000만 달러에 이를 것으로 전망되며, 마지막으로 그 외 지역은 2021년 9억 5,700만 달러에서 연평균 성장률 5.8%로 증가하여, 2026년에는 12억 6,600만 달러에 이를 것으로 전망된다.

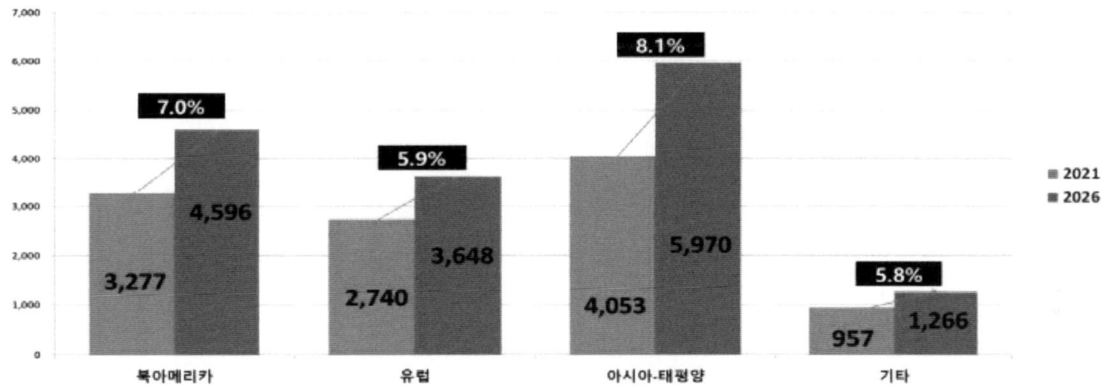

[그림 117] 글로벌 머신 비전 시장의 지역별 시장 규모 및 전망 (단위: 백만 달러)

우리나라 머신 비전 시장은 2021년 7억 2,200만 달러에서 연평균 성장률 6.3%로 증가하여, 2026년에는 9억 8,200만 달러에 이를 것으로 전망된다.

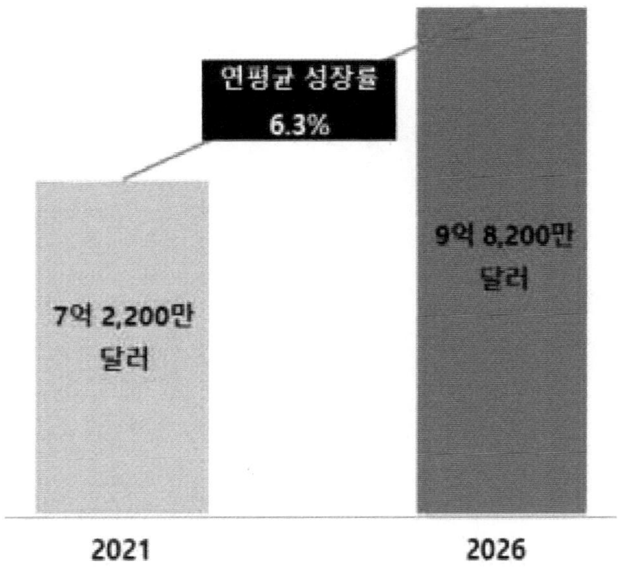

[그림 118] 우리나라 머신 비전 시장 규모 및 전망

5) 산업용 로봇 시장[87)]

전 세계 산업용 로봇 시장은 2021년 141억 1,600만 달러에서 연평균 성장률 15.4%로 증가하여, 2026년에는 288억 6,500만 달러에 이를 것으로 전망된다.

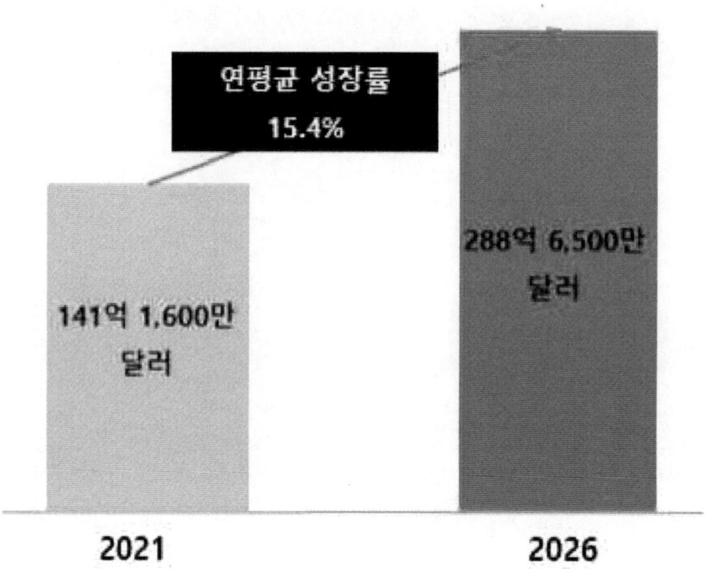

[그림 119] 글로벌 산업용 로봇 시장 규모 및 전망

전 세계 산업용 로봇 시장은 유형에 따라 기존 로봇, 협동 로봇으로 분류된다. 기존 로봇은 2021년 129억 200만 달러에서 연평균 성장률 10.9%로 증가하여, 2026년에는 216억 4,800만 달러에 이를 것으로 전망되고, 협동 로봇은 2021년 12억 1,400만 달러에서 연평균 성장률 42.8%로 증가하여, 2026년에는 72억 1,600만 달러에 이를 것으로 전망된다.

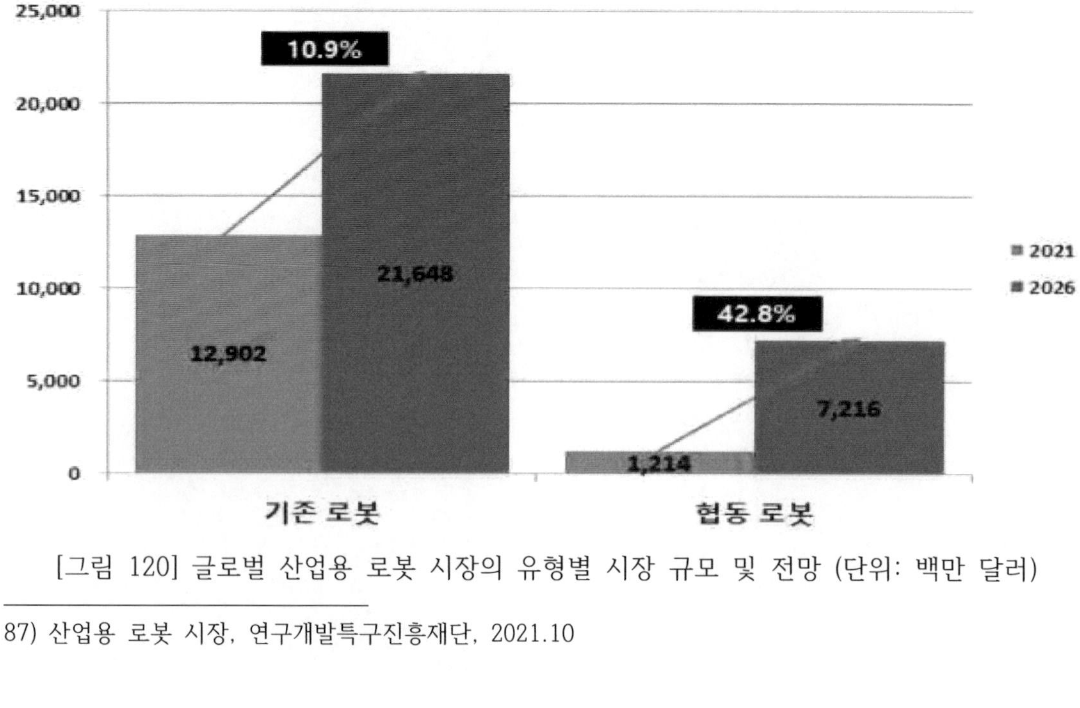

[그림 120] 글로벌 산업용 로봇 시장의 유형별 시장 규모 및 전망 (단위: 백만 달러)

87) 산업용 로봇 시장, 연구개발특구진흥재단, 2021.10

전 세계 산업용 로봇 시장은 제품에 따라 코봇, 원통 좌표 로봇, 병렬 및 델타로봇, 다관절 로봇, 스카라 로봇, 리니어 로봇으로 분류된다. 코봇은 2019년 4억 3,160만 달러에서 연평균 성장률 32.8%로 증가하여, 2024년에는 17억 8,300만 달러에 이를 것으로 전망되고, 원통 좌표 로봇은 2019년 21억 5,810만 달러에서 연평균 성장률 3.6%로 증가하여, 2024년에는 25억 8,170만 달러에 이를 것으로 전망된다. 병렬 및 델타 로봇은 2019년 30억 2,130만 달러에서 연평균 성장률 8.3%로 증가하여, 2024년에는 44억 9,340만 달러에 이를 것으로 전망되며, 다관절 로봇은 2019년 71억 2,170만 달러에서 연평균 성장률 14.7%로 증가하여, 2024년에는 141억 5,690만 달러에 이를 것으로 전망된다. 다음으로, 스카라 로봇은 2019년 56억 1,100만 달러에서 연평균 성장률 11.9%로 증가하여, 2024년에는 98억 2,790만 달러에 이를 것으로 전망되고, 마지막으로 리니어 로봇은 2019년 32억 3,710만 달러에서 연평균 성장률 11.1%로 증가하여, 2024년에는 54억 8,350만 달러에 이를 것으로 전망된다.

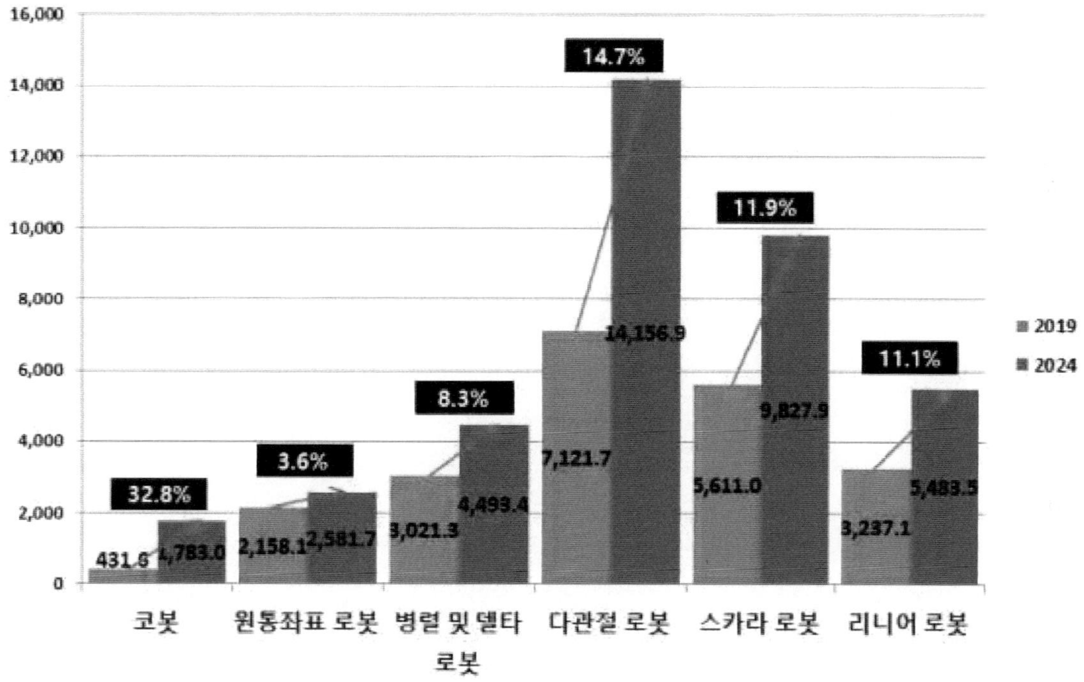

[그림 121] 글로벌 산업용 로봇 시장의 제품별 시장 규모 및 전망 (단위: 백만 달러)

전 세계 산업용 로봇 시장은 페이로드에 따라 16.00kg 이하, 16.01~60.00kg, 60.01~225.00kg, 225.00kg 초과로 분류된다. 16.00kg 이하는 2021년 79억 4,000만 달러에서 연평균 성장률 14.9%로 증가하여, 2026년에는 158억 7,500만 달러에 이를 것으로 전망되고, 16.01~60.00kg은 2021년 31억 5,800만 달러에서 연평균 성장률 17.3%로 증가하여, 2026년에는 70억 달러에 이를 것으로 전망되며, 60.01~225.00kg은 2021년 12억 8,200만 달러에서 연평균 성장률 15.8%로 증가하여, 2026년에는 26억 7,000만 달러에 이를 것으로 전망된다. 마지막으로 225.00kg 초과는 2021년 17억 3,500만 달러에서 연평균 성장률 13.9%로 증가하여, 2026년에는 33억 1,900만 달러에 이를 것으로 전망된다.

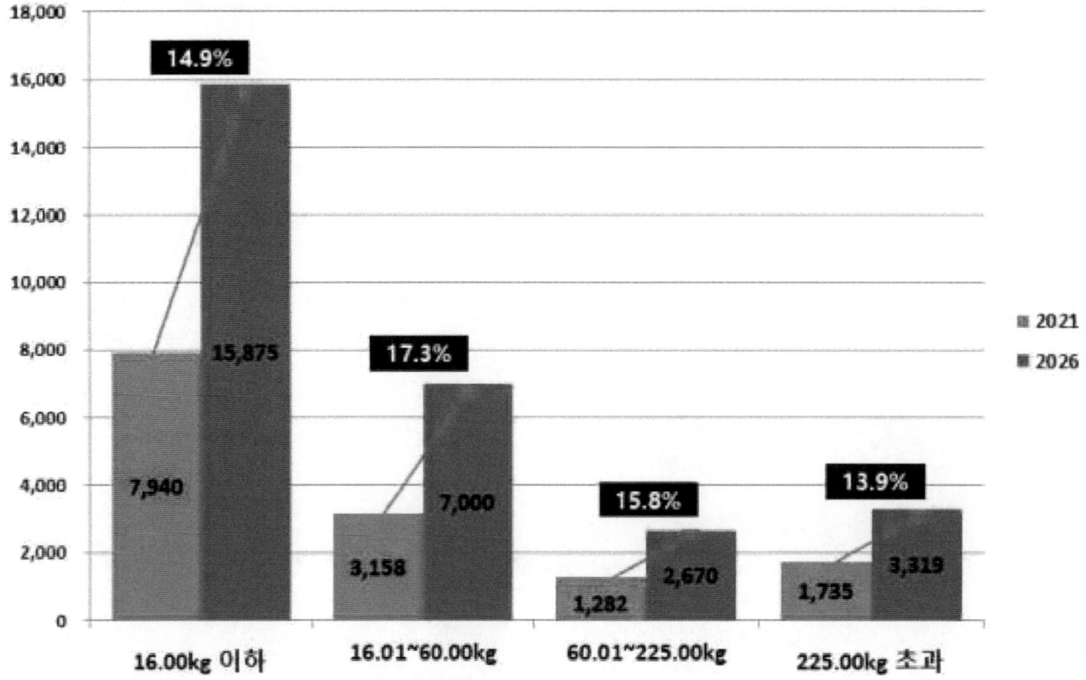

[그림 122] 글로벌 산업용 로봇 시장의 페이로드별 시장 규모 및 전망 (단위: 백만 달러)

전 세계 산업용 로봇 시장은 구성요소에 따라 로봇 암, 로봇 액세서리, 추가 하드웨어, 시스템 엔지니어링, 소프트웨어 및 프로그래밍으로 분류된다. 로봇 암은 2021년 129억 200만 달러에서 연평균 성장률 10.9%로 증가하여, 2026년에는 216억 4,800만 달러에 이를 것으로 전망되고, 로봇 액세서리는 2021년 120억 4,700만 달러에서 연평균 성장률 12.2%로 증가하여, 2026년에는 214억 5,800만 달러에 이를 것으로 전망된다. 추가 하드웨어는 2021년 88억 3,900만 달러에서 연평균 성장률 8.5%로 증가하여, 2026년에는 132억 8,300만 달러에 이를 것으로 전망되고, 시스템 엔지니어링은 2021년 37억 5,400만 달러에서 연평균 성장률 9.7%로 증가하여, 2026년에는 59억 6,000만 달러에 이를 것으로 전망된다. 마지막으로, 소프트웨어 및 프로그래밍은 2021년 34억 1,100만 달러에서 연평균 성장률 11.1%로 증가하여, 2026년에는 57억 7,000만 달러에 이를 것으로 전망된다.

전 세계 산업용 로봇 시장은 적용 분야에 따라 핸들링, 용접 및 납땜, 조립및 분해, 디스펜싱, 가공, 기타로 분류되고, 핸들링은 2021년을 기준으로 47%의 점유율을 차지하였으며, 그 뒤를 용접 및 납땜이 20%, 조립 및 분해가14%, 디스펜싱이 4%, 가공이 3%, 기타가 12%로 뒤따르고 있다.

핸들링은 2021년 65억 5,000만 달러에서 연평균 성장률 17.5%로 증가하여, 2026년에는 146억 7,100만 달러에 이를 것으로 전망되며, 용접 및 납땜은 2021년 29억 6,000만 달러에서 연평균 성장률 11.8%로 증가하여, 2026년에는 51억 8,000만 달러에 이를 것으로 전망된다. 조립 및 분해는 2021년 19억 6,400만 달러에서 연평균 성장률 14.9%로 증가하여, 2026년에는 39억 3,800만 달러에 이를 것으로 전망되고, 디스펜싱은 2021년 5억 6,200만 달러에서 연평균 성장률 16.0%로 증가하여, 2026년에는 11억 8,000만 달러에 이를 것으로 전망된다. 다음으로 가공은 2021년 3억 7,700만 달러에서 연평균 성장률 22.4%로 증가하여, 2026년에는 10억 3,700만 달러에 이를 것으로 전망되며, 마지막으로 기타는 2021년 17억 400만 달러에서 연평균 성장률 10.9%로 증가하여, 2026년에는 28억 5,700만 달러에 이를 것으로 전망된다.

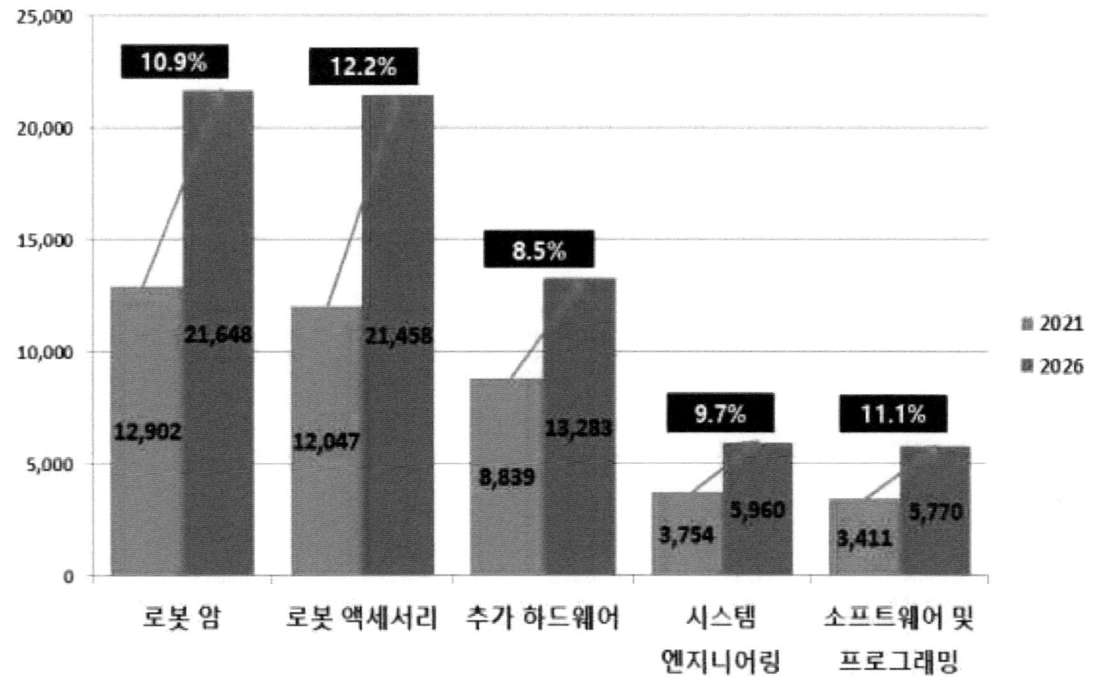

[그림 123] 글로벌 산업용 로봇 시장의 구성요소별 시장 규모 및 전망 (단위: 백만 달러)

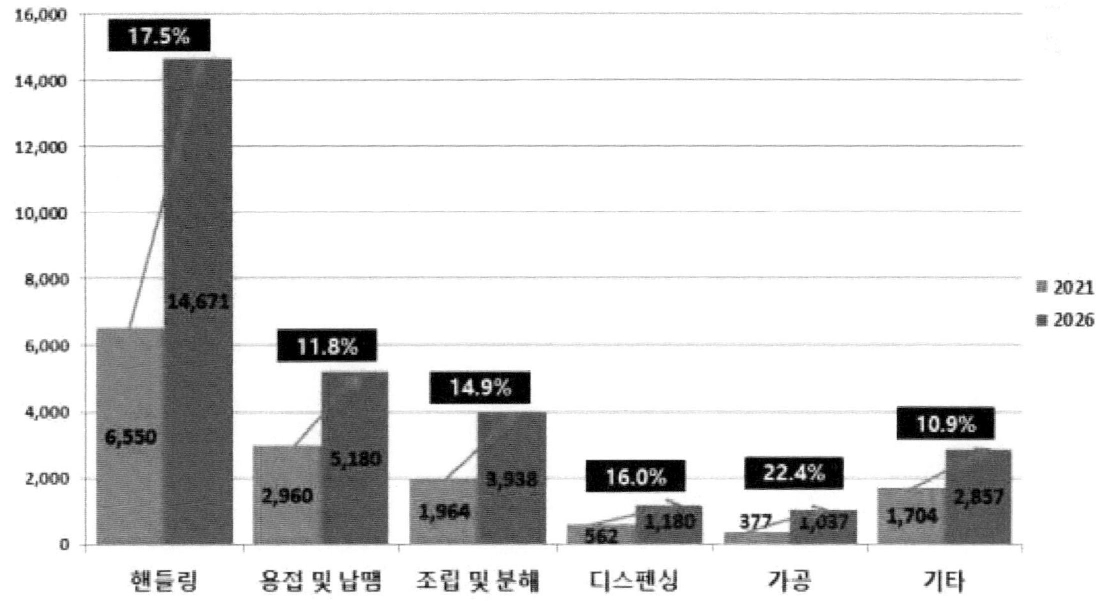

[그림 124] 글로벌 산업용 로봇 시장의 적용 분야별 시장 규모 및 전망 (단위: 백만 달러)

전 세계 산업용 로봇 시장은 산업에 따라 자동차, 전기 및 전자, 금속 및 기계, 플라스틱ž고무ž화학제품, 식품 및 음료, 정밀 공학 및 광학, 의약품 및 화장품, 기타로 분류된다. 자동차는 2021년 42억 6,700만 달러에서 연평균 성장률 14.5%로 증가하여, 2026년에는 83억 9,300만 달러에 이를 것으로 전망되고, 전기 및 전자는 2021년 33억 8,400만 달러에서 연평균 성장률 15.2%로 증가하여, 2026년에는 68억 6,600만 달러에 이를 것으로 전망된다. 금속 및 기계는 2021년 22억 2,700만 달러에서 연평균 성장률 16.3%로 증가하여, 2026년에는 47억 3,700만 달러에 이를 것으로 전망되고, 플라스틱·고무·화학제품은 2021년 10억 8,900만 달러에서 연평균 성장률 18.7%로 증가하여, 2026년에는 25억 6,600만 달러에 이를 것으로 전망된다. 식품 및 음료는 2021년 4억 6,500만 달러에서 연평균 성장률 22.7%로 증가하여, 2026년에는 12억 9,100만 달러에 이를 것으로 전망되며, 정밀 공학 및 광학은 2021년 3억 8,400만 달러에서 연평균 성장률 19.1%로 증가하여, 2026년에는 9억 2,200만 달러에 이를 것으로 전망된다. 의약품 및 화장품은 2021년 2억 8,500만 달러에서 연평균 성장률 20.1%로 증가하여, 2026년에는 7억 1,300만 달러에 이를 것으로 전망되며, 마지막으로 기타는 2021년 20억 1,400만 달러에서 연평균 성장률 10.9%로 증가하여, 2026년에는 33억 7,700만 달러에 이를 것으로 전망된다.

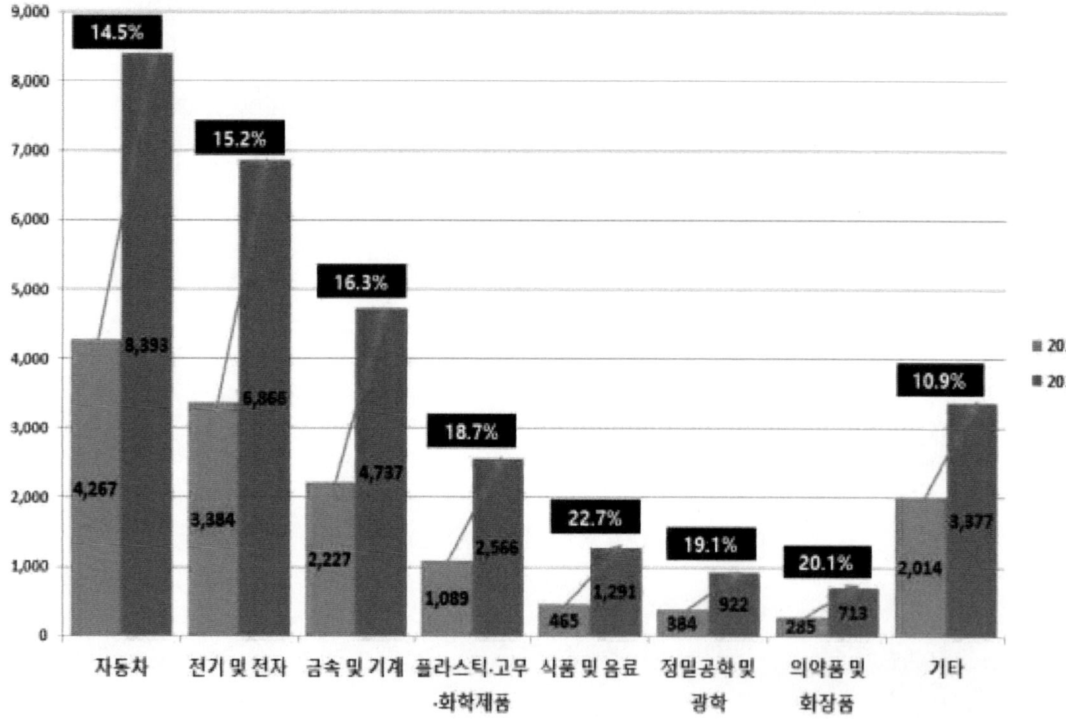

[그림 125] 글로벌 산업용 로봇 시장의 산업별 시장 규모 및 전망 (단위: 백만 달러)

전 세계 산업용 로봇 시장을 지역별로 살펴보면, 북아메리카, 라틴아메리카, 유럽-중동-아프리카, 아시아-태평양으로 분류된다. 북아메리카 지역은 2019년 38억 1,980만 달러에서 연평균 성장률 10.1%로 증가하여, 2024년에는 61억 9,310만 달러에 이를 것으로 전망되며, 라틴아메리카 지역은 2019년 6억 6,900만 달러에서 연평균 성장률 5.3%로 증가하여, 2024년에는 8억 6,550만 달러에 이를 것으로 전망된다. 유럽-중동-아프리카 지역은 2019년 41억 40만 달러에서 연평균 성장률 8.6%로 증가하여, 2024년에는 61억 8,230만 달러에 이를 것으로 전망되고, 아시아-태평양 지역은 2019년 129억 9,170만 달러에서 연평균 성장률 14.1%로 증가하여, 2024년에는 250억 8,550만 달러에 이를 것으로 전망된다.

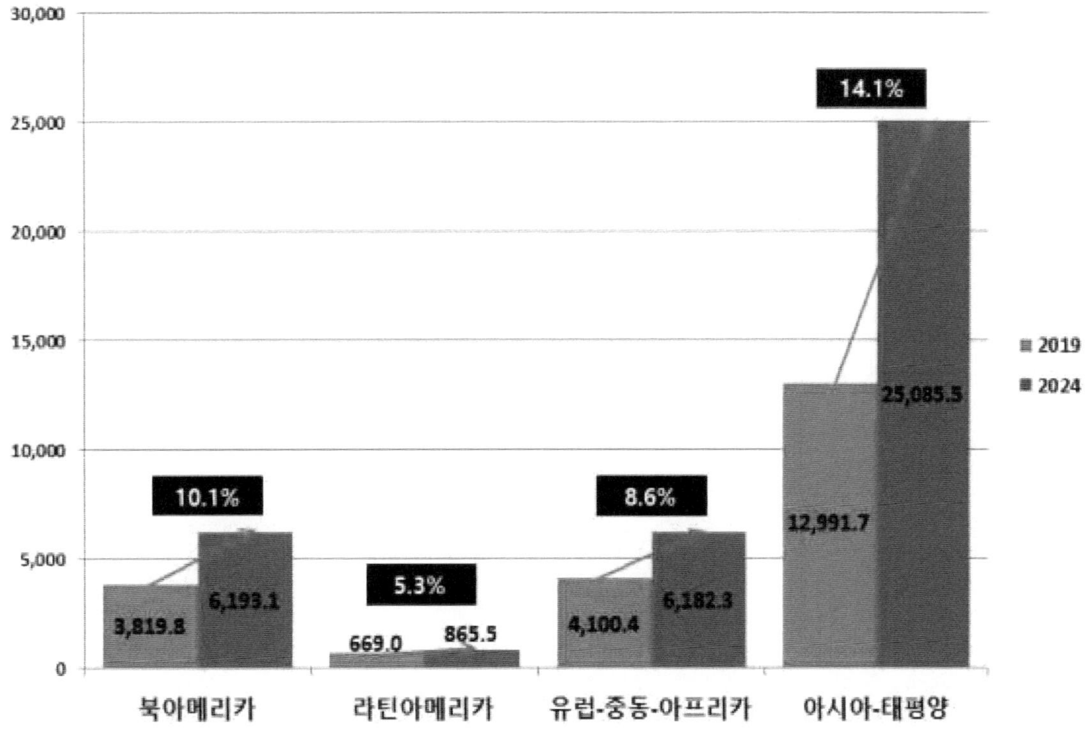

[그림 126] 글로벌 산업용 로봇 시장의 지역별 시장 규모 및 전망 (단위: 백만 달러)

우리나라의 산업용 로봇 시장 중 기존 로봇은 2021년 2만 7,615대에서 연평균 성장률 13.3%로 증가하여, 2026년에는 5만 1,512대에 이를 것으로 전망된다.

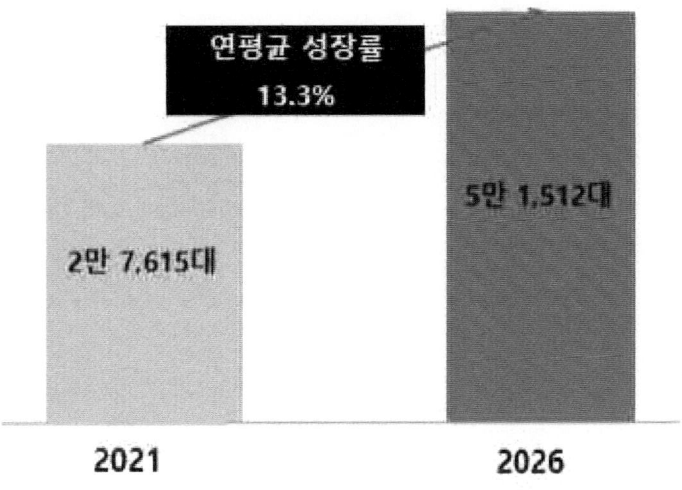

[그림 127] 우리나라 산업용 로봇 시장 중 기존 로봇의
시장 규모 및 전망

우리나라의 산업용 로봇 시장 중 협동 로봇은 2021년 1,921대에서 연평균 성장률 49.0%로 증가하여, 2026년에는 1만 4,115대에 이를 것으로 전망된다.

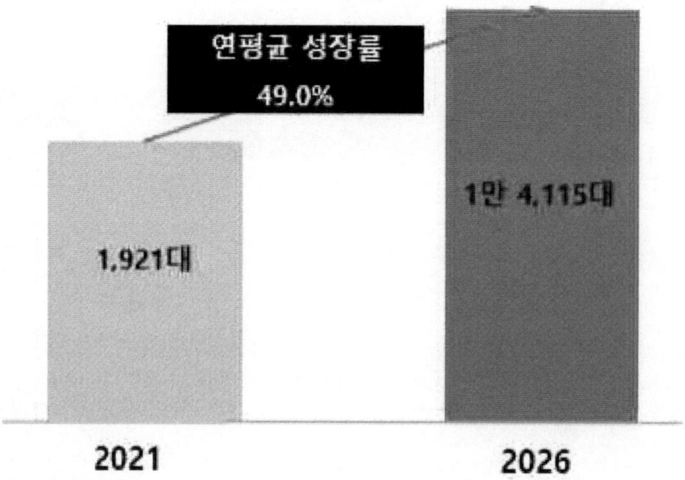

[그림 128] 우리나라 산업용 로봇 시장 중 협동 로봇의 시장 규모 및 전망

5. 참고사이트

5. 참고사이트

1) 톱텍 홈페이지
2) "SK·LG '배터리 장비' 우리가 생산"… 톱텍·디에스케이 맞대결 / 조선비즈
3) 잡코리아
4) 인크루트
5) 잡코리아
6) 인크루트
7) 더존 홈페이지
8) 잡코리아
9) 인크루트
10) 잡코리아
11) 인크루트
12) 잡코리아
13) 신성이엔지 홈페이지
14) 신성이엔지·삼성SDS·KT, 5G 스마트팩토리 '한손' / 투데이에너지
15) 스마트팩토리 중소,중견기업 기술로드맵 2017-2019, 중소기업청
16) 4차 산업혁명은 독일 제조업이 직면한 사회, 기술, 경제, 생태, 정치 부문의 변화에 ICT를 접목해 대응하겠다는 전략으로, 사물인터넷과 기업용 소프트웨어, 보안, 클라우드, 빅데이터, 가상현실 등 ICT 관련 기술들을 적극 활용하는 스마트팩토리를 목표로 하고 있다.
17) 출처: 정보통신기술진흥센터
18) 출처: 생산성 높이고 불량 잡는 스마트팩토리, 테크M, 2016.05.28
19) 스마트 팩토리란 무엇인가, https://steemkr.com/steempress/@k933167h/-s3cu1ci5pv
20) 제조용 로봇 기술 및 시장동향, 연구성과실용화진흥원, 2017.03
21) 로보틱스-산업용 로봇, Korea Start Scale Up day, 삼성증권, 2022
22) 소수의 직원이 처음부터 끝까지 여러 가지의 공정을 담당해 완제품을 생산하는 방식
23) 융합 Weekly Tip, 협동로봇 산업 동향, 융합연구정책센터, 2018.04.16
24) 협동 로봇 : 중소기업 스마트 제조의 시작점, 한국무역협회, 2021
25) (1) 일반제조용, (2) 전문제조용, (3) 의료산업용
26) (1) 작업 공간 및 시간 모두 공유, (2) 작업 공간만 공유(시간 분리) (3)작업 시간만 공유(공간 분리)
27) 가반하중(payload)은 로봇이 들어 옮길 수 있는 최대 무게를 의미한다.
28) 기계학습, 오일석, 한빛아카데미
29) 머신러닝 서비스시장 전망, 김경민, KOTRA, 2018.03.10
30) 다가올 미래, 머신러닝이 바꿀 삶의 모습, 시사주간, 2021.12.17
31) 출처: Deloitte Global
32) 출처: AT Kearney(2018)
33) 출처: Amazon Web Service
34) AI First, AI Everywhere로 전개되는 인공지능, 정보통신기술진흥센터
35) 인공지능(AI) 개요 및 기술 동향, 금융보안원, 2016.08.26
36) 인공지능 기술 동향 및 발전 방향, 조영임, 정보통신기술진흥센터, 2016.07
37) 출처: 인공지능(AI) 개요 및 기술 동향 (2016)
38) 출처: 인공지능 기술과 산업의 가능성, 석왕헌, 이광희, ETRI, 2015.10.30
39) 학습 알고리즘들을 따로 사용하지 않고 다수의 학습 알고리즘을 유연한 구조로 만들어 더 좋은 성능을 얻는 효과
40) 출처: Nitish Srivastava, Georey Hinton et al., Dropout: A Simple Way to Prevent Neural Networks from Overfitting, Journal of Machine Learning Research 15(2014), p.1930, 2014.6.14.
41) 강인공지능(Strong AI): 사람처럼 스스로 데이터를 찾아 학습하고 행동하는 AI를 뜻하며 현재는 사람이 직접 데이터를 수집·가공하고 알고리즘을 짜 넣어 학습시키기 때문에 약인공지능(Weak AI)으로 분류
42) 인공지능 기술 동향, IITP
43) 인공지능 신뢰성을 높이는 Trustworthy AI, 딜로이드 안진회계법인, 2022.02
44) 사물인터넷(Internet of Things) 산업 동향, 금융보안원, 2016.10.20
45) 사물인터넷 산업의 시장 및 정책 동향, iitp
46) 출처: 각 기관, IITP
47) 사물인터넷을 구현하려면 무엇이 필요한가요? LG CNS블로그, 2015.06.16.

48) 출처: LG CNS블로그
49) 출처: http://iotmobius.com
50) 지표로 보는 이슈, 사물인터넷, 국회입법조사처, 2017.10.12
51) "IoT 시장 규모 2027년 5,664억 달러… 5G와 스마트 센서 등 견인", CIO Korea, 2021.11.01
52) 2021년 전세계 IoT 디바이스는 123억개로 확대, daliworks
53) 유망시장 Issue Report 스마트센서, 연구개발특구진흥재단, 2021.08
54) 센서산업과 주요 유망센서 시장 및 기술동향, ETRI, 2015.05.15.
55) 출처: IoT 시대에 주목받는 스마트 센서 유망분야 시장전망과 개발동향, CHO Alliance(2015)
56) 출처: 지식경제부(2012), "센서산업 발전전략" 보도자료
57) 센서산업 고도화를 위한 첨단센서 육성사업 기획보고서, 지식경제부(2012)
58) 출처: LGERI 리포트, 2014년 5월
59) 스마트디바이스용센서, KISTEP 기술동향브리프, 한국과학기술기획평가원, 2021
60) Trillion 센서 시대, 스마트 센서 시장의 3대 트렌드는? POSRI 이슈리포트, 2018.1.11
61) 출처: Custompartnet, http://www.custompartnet.com
62) 출처: Custompartnet, http://www.custompartnet.com
63) 출처: Custompartnet, http://www.custompartnet.com
64) 출처: Custompartnet, http://www.custompartnet.com
65) 품목별 ICT 시장동향 3D 프린팅, 정보통신산업진흥원, 2022
66) 5G가 만들 새로운 세상, DNA 플러스 2019, 한국정보화진흥원
67) 5G 국제 표준의 이해, 삼성전자
68) 반도체산업 중장기 전망, 이슈보고서, 한국수출입은행, 2021.04
69) 5G 시대의 실감미디어 콘텐츠 유통환경 및 제작기술 변화, 정보통신산업진흥원, 2019.08
70) 폴더블폰: 세상을 펼치다. 대신증권
71) 5G와 스마트 제조, 홍승호, 한양대학교
72) 5G 기술·산업 현황 및 향후 비전, KPC4IR, KAIST, 2020
73) 5G 기술·산업 현황 및 향후 비전, KPC4IR, KAIST, 2020
74) 스마트팩토리 중소,중견기업 기술로드맵 2017-2019, 중소기업청
75) 스마트팩토리 산업의 이해와 투자전망, KITIA, 2020
76) 2021년 2월 스마트팩토리 국내외 동향 리포트, 스마트제조혁신협회, 2021
77) 스마트팩토리 중소,중견기업 기술로드맵 2017-2019, 중소기업청
78) 글로벌 스마트팩토리시장, 2022년까지 매년 9.3%성장/ 뿌리산업
79) 스마트팩토리 솔루션, 한국 IR협의회, 2021.07.02
80) 유망시장 Issue Report 스마트센서, 연구개발특구진흥재단, 2021.08
81) 산업용 IoT 시장, 연구개발특구진흥재단, 2021.10
82) 인공지능산업 현황 및 주요국 육성 정책, 한국수출입은행, 2021.10.14
83) 부품(예: neural processing unit), 설계, 구조 등이 AI에 최적화된 서버, 스토리지 등의 하드웨어
84) CAGR가 17%인 경우 5년 뒤 시장규모가 약 2배가 되는 것으로 전망(20%는 약 4년, 30%는 2년 반)
85) AutoML(Automated Machine Learning): 데이터를 기반으로 자동으로 인공지능 모형을 개발하는 인공지능 솔루션
86) 머신 비전 시장, 연구개발특구진흥재단, 2021.10
87) 산업용 로봇 시장, 연구개발특구진흥재단, 2021.10

초판 1쇄 인쇄 2023년 1월 11일
초판 1쇄 발행 2023년 1월 23일

편저 미래기술정보리서치
펴낸곳 비티타임즈
발행자번호 959406
주소 전북 전주시 서신동 780-2 3층
대표전화 063 277 3557
팩스 063 277 3558
이메일 bpj3558@naver.com
ISBN 979-11-6345-415-1 (13560)

이 도서의 국립중앙도서관 출판예정도서목록(CIP)은 서지정보유통지원시스템 홈페이지(http://seoji.nl.go.kr)와 국가자료공동목록시스템 (http://www.nl.go.kr/kolisnet)에서 이용하실 수 있습니다.